Un siècle de
femmes

Véronique Lesueur
Dominique Marny

Un siècle de
femmes

Le Pré aux Clercs

Conception graphique : Pascale Ragot

SOMMAIRE

INTRODUCTION

« Il joue à la Bourse, elle boursicotte,
Il cuisine et puis, elle, elle popotte
C'est ça, c'est ça,
Par exemple il découvre un vaccin,
Il découvre et elle, elle dégotte
Il parle, elle parlotte... »

En composant *Otte*, une chanson qu'illustre cet extrait, la vieille dame indigne de la sculpture, Louise Bourgeois, règle ses comptes avec le « sexe fort »... Et avec une époque heureusement révolue.

Car les femmes du XXᵉ siècle sont sorties de l'ombre de l'Histoire : de spectatrices attentives et dévouées, nous sommes devenues actrices, prenant part à l'aventure politique, sociale, économique, culturelle, scientifique et artistique de notre temps.

À l'aube de l'an 2000, nous voulons chercher et innover, revendiquant un rôle nouveau, n'hésitant plus à manifester et à nous impliquer avec force.

Une véritable métamorphose de l'être féminin s'est effectuée depuis le début du siècle. Notre rapport au corps, en interaction avec les canons sociaux et de séduction, a progressé dans le sens d'une véritable libération. Les vêtements et sous-vêtements contraignants ont disparu au profit d'une plus grande aisance de mouvement... Notre morphologie s'en est trouvée modifiée, le naturel reprenant ses droits dans un glissement progressif vers davantage de plaisir. Parallèlement, c'est toute notre conception du monde – et des hommes – qui a changé.

Nous avons voulu la redistribution des rôles, gagner la guerre des sexes et celle de notre indépendance. Le monde du travail s'est ouvert à la gent féminine, tout comme celui de la politique, même si l'issue de ce dernier combat demeure incertaine. Nous présidons enfin à nos destinées mais pas encore à celles de l'État ou des grandes entreprises... Bref, ces derniers temps, nous avons eu fort à faire pour émerger de la masse laborieuse, obligées de jouer des coudes pour prouver, tout simplement, notre valeur d'êtres humains. Pour accéder au monde du travail, nous avons dû faire oublier notre sexe, oubliant parfois au passage notre faculté à devenir mères et à demeurer amantes.

Un malentendu s'est instauré entre nos compagnons et nous, un conflit larvé aboutissant aujourd'hui à une crise du mariage : près d'un sur deux se solde par le divorce... Sans parler des esseulées, la libido entre deux chaises, héritières déçues de la révolution sexuelle, voulant tout et son contraire, réclamant haut et fort un droit à la jouissance qu'elles sont encore les seules à se refuser, mais chipotant sur la légitimité du désir masculin. Les « superwomen » ont eu une fâcheuse tendance à la castration, et les filles d'aujourd'hui rêvent d'hommes décomplexés dont le regard saurait être à la fois tendre et fort, qui pourraient aimer sans dominer...

Le fantasme du Prince Charmant est aujourd'hui si puissant qu'il engendre des avatars sirupeux, « boy's band », stars androgynes, dont l'ambiguïté sexuelle n'a d'autre fonction que de rassurer absolument. La confusion des genres règne, établissant un modus vivendi parfois assez trouble et déstabilisant.

En manque de repères, on s'en crée de nouveaux, on repense la réalité, on la réinvente. Des mondes virtuels éclosent dans les médias et la pub, les nouvelles stars sont fabriquées de toutes pièces, mannequins modelés à coups de chirurgie esthétique ou héroïnes de jeux vidéo à la plastique délirante.

Entre féminisme et culte de la femme-objet, une nouvelle voie reste à trouver.

Divas ou intellectuelles, femmes du monde ou du peuple, célèbres ou anonymes, elles ont toutes, à leur manière, marqué ce siècle. Ces pages leur sont dédiées : à nos grands-mères, à nos mères, à nos filles, pour que perdure le souvenir de ce Siècle de Femmes...

LES MÉTAMORPHOSES DE L'IDÉAL FÉMININ

« VOUS N'ÊTES PAS JOLIE, VOUS ÊTES PIRE ! »
Victor Hugo, à une actrice...

L'artifice, en matière de beauté, pourrait être considéré comme le propre de la femme. Pour capter et retenir le regard de l'homme, elle transcende la nature, tente de gommer ses injustices, voue parfois toute son existence à repousser les assauts du temps... Quitte à faire volontairement subir à son propre corps les pires outrages, la coquetterie ne s'embarrassant d'aucun scrupule. Car l'enjeu dépasse la seule volonté de séduire ; il réside plus profondément dans l'exorcisme de l'inéluctable déchéance, de la vieillesse et, au-delà, de la mort. Avec en filigrane, évidemment, ce fol espoir de perfection, d'approcher au plus près l'idéal de beauté dont les canons, fluctuants selon l'époque, encensent successivement tout et son contraire...

BELLES PLANTES OU BEAUTÉS GLACÉES : LA CHASSE AUX CHIMÈRES

À l'orée du XXᵉ siècle, la mode est aux pulpeuses à la chair d'albâtre, aux fesses charnues et au léger embonpoint : la chair peut alors être synonyme de « bonne chère ». Il faut, pour plaire, être grasse comme la Nana de Zola. Dans les années 30, la tendance s'inverse. On préfère les corps minces

- **1900** : Mlle Polaire, actrice et demi-mondaine, est célèbre pour sa taille de guêpe de 33 centimètres.

- **1913** : la céruse, utilisée jusqu'alors en cosmétique pour blanchir le teint, est déclarée toxique et interdite à la vente en France.

- **1919** : la chirurgie esthétique, née dans les hôpitaux militaires, est introduite en France par le docteur Raymond Passot.

- **1920** : Miss America pèse 63,5 kg et mesure 1,73 m. L'ombrelle passe de mode.

- **1925** : le « culte du soleil » est en vogue : l'exposition solaire est réputée prévenir le rachitisme et la tuberculose.

- **1930** : les coquettes adoptent le vernis à ongles et délaissent les gants.

Melle Agnès Souret, élue la plus belle femme de France en 1922. Une reine de beauté accorte et potelée.

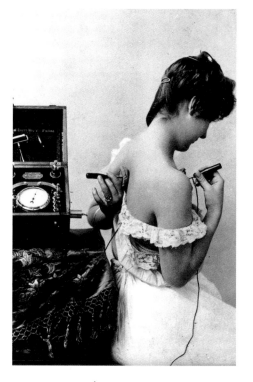

Dans les années 30, les coquettes se soumettent déjà aux pires tortures pour paraître bronzées et sveltes : rayons ultra-violets, influx électriques, engins orthopédiques... Tous les moyens sont bons pour avoir l'air « naturellement » belle.

et bronzés, l'idée d'une femme aussi exotique que Joséphine Baker ou, dans un autre style, Coco Chanel.

Déjà, pour ressembler à ces femmes idéales, on paie de sa personne. Bien des méthodes paramédicales sont expérimentées par nos aïeules, surtout entre les deux guerres. À cette époque, des machines électriques ou mécaniques aux allures d'engins de torture sont imaginées par des médecins : elles doivent servir à renforcer la musculature ou à améliorer le physique des gourmands. Leurs noms sont aussi évocateurs que rébarbatifs : le « compresseur », l'« écraseur », l'« amaigrisseur »... Tout est bon pour venir à bout de la fameuse culotte de cheval, qu'on appelle alors plutôt le

« crapaud ». À ces machines à sculpter, on adjoint des régimes plus ou moins fantaisistes, on prescrit des bains de mer... Les résultats sont plus qu'aléatoires.

Les stars du cinéma, qui donnent le ton en matière de séduction et ne reculent devant rien pour fasciner leur public, ont recours à des méthodes beaucoup plus radicales. Elles sont probablement les premières à exploiter la chirurgie plastique à des fins esthétiques. Marlene Dietrich se fait ôter les molaires et Greta Garbo, les incisives, afin d'avoir ce visage « de neige et de solitude »[1] qui caractérise la « Divine ». Rita Hayworth se fait épiler les cheveux pour avoir le front plus haut. D'autres, pour avoir la taille plus fine, se font enlever des côtes.

Dans les années 50, Christian Dior, qui règne en maître sur l'univers de la mode, définit sa femme parfaite : elle mesure environ 1,75 m pour moins de 55 kg et ses mensurations corres-

1. Roland Barthes, *Mythologies*, Seuil 1957.

Vous serez belle éternellement et toujours jeune... Madame,

en portant une demi-heure par jour les

APPAREILS DE BEAUTÉ
du DOCTEUR MONTEIL

Catalogue de SPÉCIALITÉS DE BEAUTÉ franco sur demande.

RETOUR AUX SOURCES ET CULTE DE LA FORME

Dans les années 70, le mouvement hippie exprime son ras-le-bol de cette société dans laquelle le bonheur ne peut se concevoir que par la consommation tous azimuts. Le « Flower Power » triomphe. Les corps se libèrent, le végétarisme, la macrobiotique puis l'instinctothérapie[1] connaissent leur heure de gloire. Massages, mésothérapie et thalassothérapie ont leurs fidèles, tandis que les partisans du naturisme prônent une vie « saine ». Twiggy-la-brindille est l'égérie de cette décennie : la minceur est à l'honneur tandis que les rondeurs, synonymes

pondent à 90-64-90. Des critères draconiens qui se perpétuent de génération en génération et auxquels, par la suite, tous les top models continueront de se soumettre.

1. On mange – crus – les aliments dont le corps a besoin et dont on a envie d'instinct : on les flaire pour les choisir.

D epuis trente ans, notre corps s'est modifié. Des scientifiques l'expliquent par une alimentation différente et plus riche, mais on peut aussi y déceler l'expression d'un état d'esprit différent, qui nous a poussées à modeler notre corps selon notre âme... Nous sommes plus grandes que nos mères qui, dans les années 60-70, mesuraient en moyenne 1,60 m. Nous sommes plus musclées, notre tour de taille a pris 10 bons centimètres, notre buste s'est raccourci, nos jambes sont plus longues, nos épaules se sont étoffées tandis que nos hanches se font plus étroites.
Libérées des corsets puis des gaines, métamorphosées par la pratique sportive, nos mensurations ne sont certainement plus celles des belles du début de ce siècle, aux seins haut plantés, à la taille de guêpe, aux hanches généreuses et à la cuisse dodue. Et les 15-25 ans d'aujourd'hui (87-65-93) seraient plutôt mal fagotées dans les vêtements de leurs grands-mères (92-56-106)... Il paraîtrait que nos pieds aussi se sont allongés et, plus grave, que nos seins, malmenés par la vie moderne, une lingerie trop souple et les séances estivales de monokini, se seraient – en moyenne – affaissés de 3 centimètres !

• *1932 : l'écrivain Colette ouvre son propre institut de beauté à Paris, rue de Miromesnil.*

• *1935 : la beauté idéale est sportive, possède une bouche pulpeuse, une chevelure blond platine, des sourcils rasés et redessinés.*

• *1945 : la macrobiotique est peu à peu introduite en Occident.*

• *1950 : l'hygiénisme fait son apparition en France : les maladies ne proviendraient pas des virus, bacilles ou autres microbes, mais seraient dues à une mauvaise hygiène de vie.*

• *1958 : invention de la mésothérapie.*

• *1960 : le sauna, d'origine finlandaise, fait son apparition en France.*

• *1964 : le champion cycliste Louison Bobet crée le centre de Quiberon, relançant ainsi la thalassothérapie.*

• *1969 : dans les ateliers de moulage du Louvre est conçue la nouvelle Marianne d'après des croquis du sculpteur Aslan : Brigitte Bardot incarne un idéal de beauté international.*

• *1970 : avec le « body-painting », ou maquillage corporel, le corps devient objet d'art.*

• *1980 : Miss America pèse 53 kg et mesure 1,76 m.*

• *30 mai 1990 : l'artiste Orlan réalise une étrange « performance ». Pour se créer une nouvelle identité à l'aube du troisième millénaire, elle subit une série d'opérations de chirurgie esthétique destinée à lui modeler un « visage composite » copiant certains des traits de femmes célèbres, réelles ou mythiques : Diane, Vénus, Psyché, Europe et la Joconde.*

Parmi les appareils de beauté du bon docteur Monteil, en 1925, certains font frémir, telle cette ceinture « la Déesse », entièrement en caoutchouc radioactif !

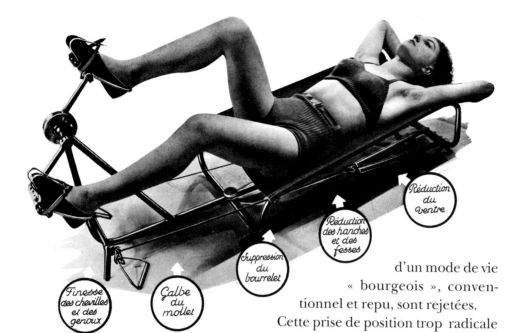

Réduction
du
ventre

Réduction
des hanches
et des
fesses

Suppression
du
bourrelet

Galbe
du
mollet

Finesse
des chevilles
et des
genoux

est encore plus inaccessible, factice, lisse : parfait. Les silhouettes les plus androgynes – asexuées – évoquent une dimension d'où est exclu tout prosaïsme, mais qui semble avoir des implications plutôt morbides. Kate Moss et Stella Tenant font des émules parmi les jeunes filles ; quelques-unes se laissent gagner par l'anorexie pour ressembler à ces icônes dégingandées et inexpressives qui hantent tristement les podiums des défilés. Dans les cas les plus graves, cette maigreur descend au-dessous des 22 % de masse adipeuse nécessaires pour avoir un cycle menstruel régulier : à force de vouloir ressembler à ces drôles de filles, on y perd sa féminité. On se rappelle alors que « mannequin » vient du néerlandais *manneken*, qui signifie « petit homme »...

FEMMES À LA CARTE

Les fanatiques de la chirurgie courent après les chimères véhiculées par les médias, se référant essentiellement aux magazines de mode. Et cette obsession de la métamorphose ne cesse de s'accélérer, produisant parfois des femmes quasi virtuelles, entièrement refaites, telles cette Américaine, un vrai fantasme ambulant, remodelée à l'image de la poupée Barbie ou encore la milliardaire Jocelyne Wildenstein, que même son mari ne reconnaît plus. La femme de la rue se lance à son tour dans cette quête illusoire : au lieu de s'offrir des vacances, on se paie un nouveau visage ou une nouvelle paire de fesses. En cette fin de siècle, on estime que près de 3 % des Français ont eu recours à la chirurgie esthétique. Au hit-parade des opérations : les seins, le ventre, les paupières, les rides et le nez. Les clientes les plus motivées sont des célibataires tardives, récemment

d'un mode de vie « bourgeois », conventionnel et repu, sont rejetées.

Cette prise de position trop radicale ne dure pas.

Quelques années plus tard, dans les années 80, les « belles plantes » reviennent en force mais, cette fois, elles ont indéniablement pris du muscle : grâce au body-building et au fitness, Jane Fonda, Cindy Crawford et leurs admiratrices sculptent leur corps, jogging et aérobic aidant. Pour s'affirmer socialement et rassurer ses partenaires dans la sphère du privé, il est nécessaire de paraître épanoui et sans problème. Dominer son propre corps, c'est faire la preuve que l'on peut également maîtriser le monde extérieur. L'habit fait le moine. Les yuppies et les femmes libérées assaillent les clubs de sport, tout le monde se goberge de rayons UV, qui font bonne mine, sans songer aux conséquences. La notion d'équilibre mental est liée à celle de bonne santé. Il faut absolument avoir l'air en forme, car les mines de papier mâché peuvent sembler suspectes : le spectre du sida étend déjà son ombre sur le meilleur des mondes...

À CORPS PERDU...

Succédant aux stars de cinéma, les mannequins sont érigés en modèles. L'univers dans lequel elles évoluent

Le nombre d'or de la séduction

Un Américain, le professeur Singh, pense avoir percé le secret du « sex-appeal » féminin. Divisez donc votre tour de taille par votre tour de hanche : si le chiffre obtenu avoisine 0,7, vous avez ce qu'il faut pour faire tomber les mâles en pâmoison ! Quelle que soit, par ailleurs, votre stature. La théorie peut paraître fumeuse, mais donne quand même à réfléchir quand on sait que la plastique de Naomi Campbell (0,71), Claudia Schiffer (0,67) ou Cindy Crawford (0,69) répond à ce critère...

angoisses millénaristes. Le corps s'en ressent. On mange beaucoup et n'importe quoi, aliments pollués ou transgéniques ; on s'éloigne des principes de la nature, on maltraite son corps. Aux États-Unis, on appelle « couch potatoes » ceux qui passent la majeure partie de leur temps rivés devant le petit écran, à se goinfrer de « junk food[1] » : en 1998, 25 % des

1. Aliments prêts à grignoter, riches en sucres et en graisses, dont certains consommateurs deviennent quasi dépendants.

divorcées ou veuves, qui souhaitent repartir à zéro. On compte aussi quelques « dysmorphophobiques » : obsédées par un détail de leur anatomie, elles harcèlent les chirurgiens et multiplient les interventions pour obtenir la perfection dont elles rêvent. En vain, bien sûr.

DEUX MILLE ANS DE SÉDUCTION

En cette fin de siècle, on tente de se rassurer, de faire taire les vieilles

Depuis les années 70, la minceur est de règle. Les mannequins détrônent les stars dans l'univers fantasmatique de la séduction.

13

La beauté fin de siècle est résolument tonique. Mais en passant de la gym à la musculation, certaines femmes poussent leur corps au-delà de ses limites (Miss Body Building, Paris, 1987).

Américaines seraient obèses. La France en compte environ 3 millions, l'Angleterre, le double.

La minceur demeure un idéal, mais les critères de beauté sont beaucoup moins rigoureux. C'est le bien-être qui est devenu le canon essentiel. Les « talent scouts », employés par les agences de mannequins pour repérer de nouvelles filles à engager, n'aiment plus les beautés lisses, ils veulent de l'original, du surprenant, des nez d'aigle, des bouilles rondes, des strabismes légers, bref, des filles dont les imperfections sont comme un gage d'authenticité... d'autant plus précieux, alors que triomphe l'ère du faux ; les prothèses en tout genre font fureur. Silicone, Gore-tex, fils d'or : on utilise ces nouvelles matières pour combler les rides ou gonfler des lèvres trop fines. Les « faux-culs » reprennent du service (très prisés par les Asiatiques aux fesses discrètes), les poitrines pigeonnent grâce à la silicone ou aux coussinets de latex qu'on peut glisser dans le soutien-gorge, les lentilles jetables permettent au regard de s'éclairer grâce à des coloris les plus fantaisistes... et la liste des faux-semblants ne cesse de s'allonger. Sur Internet, on peut même trouver des implants métalliques à fixer chirurgicalement sous la peau, dont les protubérances étranges suggèrent une « beauté » mutante. Le piercing semblerait presque désuet. Mais seules quelques « cyberpunks » osent encore changer ainsi leur physionomie...

Les progrès de la cosmétique et de la médecine permettent aux plus modérées de mieux prendre soin d'elles, plus longtemps. L'espérance de vie s'allonge notablement, on cherche le moyen de ralentir le vieillissement : ce phénomène de dégénérescence des cellules que certains chercheurs considèrent désormais non plus comme une fatalité, mais comme une maladie que l'on parviendra peut-être à soigner un jour. Pour l'heure, les traitements hormonaux offrent aux femmes une ménopause plus sereine. Elles peuvent séduire plus longtemps, s'acheminant en douceur vers l'automne de leur existence...

LA FEMME EN
1900

- *Prénoms :* Marcelle, Germaine, Marthe, Louise.

- *Situation familiale :* mariée après une demande en bonne et due forme auprès du père. Femme au foyer sous la tutelle du mari.

- *Âge au premier mariage :* 21 ans.

- *Nombre d'enfants par femme :* 2,79.

- *Professions :* couturière, domestique, paysanne, employée de commerce.

- *Lectures préférées :* les romans de Delly, la série des *Claudine* de Colette, *Le Parfum de la dame en noir*, *Le Mystère de la chambre jaune*, *La Porte étroite*, *L'Ingénue libertine*, *Jean-Christophe*. La revue *L'Illustration*.

- *Films ou feuilletons préférés :* *Le Voyage dans la Lune*.

- *Chanteurs préférés :* Dranem, Fragson, Mayol.

- *Chansons préférées :* *L'Enfant du cordonnier*, *Je connais une blonde*.

- *Sports et loisirs :* le bal musette, les pique-niques, les bains de mer, les courses de chevaux, les tournois de cartes, la broderie, la tapisserie, les jeux de dames et de dominos.

- *Alimentation :* plats riches et en sauces, conserves et confitures faites maison, pâtisseries, thé, chocolat chaud.

- *Soins du corps :* fer à friser, papillotes et postiches pour les cheveux. Pour le visage : poudre de riz, rouge de théâtre, papier poudré, préparations à l'arsenic pour enlever les boutons. Pour le corps : talc et parfums (Guerlain, Coty).

UN SIÈCLE DE MODE

« LA MODE EST CE QU'ON PORTE SOI-MÊME.
CE QUI EST DÉMODÉ, C'EST CE QUE LES AUTRES PORTENT. »
Oscar Wilde

En ce début de siècle sévit une véritable folie orientaliste, qui culmine en 1910 avec les Ballets russes de Diaghilev, dont le très célèbre *Schéhérazade*. Paul Poiret s'inspire de ces costumes flamboyants pour créer des robes tout aussi exubérantes, aux couleurs chatoyantes, qui séduisent les femmes de la haute société. Les tenues, taillées dans des tissus fluides, s'enrichissent de drapés et de plis

compliqués. La jupe se rétrécit autour des chevilles, entravant la démarche des coquettes, obligées de se déplacer à petits pas et de renforcer leurs ourlets avec du gros-grain ou des galons épais. À l'heure où les suffragettes cherchent à se faire entendre, la mode est à la tendance « harem », version odalisque évaporée... En 1913, ce parfum de décadence exotique est encore plus fort, avec la vogue des décolletés profonds en V : l'Église s'insurge devant tant d'indécence, les médecins annoncent une hécatombe due aux pneumonies que les scandaleuses dépoitraillées ne manqueront pas de contracter. Elles survivent cependant fort bien et s'entichent, un peu plus tard, de tuniques légères et de coiffures plaquées agrémentées de plumes.

Mais la Grande Guerre ne tarde pas à mettre un frein à ces fantaisies. Le tailleur austère succède aux toilettes extravagantes. En Angleterre, on fabrique des vêtements d'« utilité publique », robes et ensembles stricts en grosse toile, destinés à être indifféremment portés le jour, le soir et... pour dormir. En France, on est moins

- **1904** : Paul Poiret fonde sa maison.

- **1913** : Mme Paquin reçoit la Légion d'honneur. Ses défilés de mode sont de véritables « shows ».

- **1914-1918** : Madeleine Vionnet est célèbre pour sa coupe « en biais ». Création à Troyes, par Étienne Valton, de la culotte Petit Bateau.

- **1919** : Coco Chanel crée sa maison.

- **1922** : Guccio Gucci fonde une maison de maroquinerie.

- **1924** : lancement du parfum « N° 5 », concocté par Ernest Beaux pour Mademoiselle Chanel.

Les « scandaleuses » aux décolletés profonds, vêtues de jupes-culottes, chevauchent leur bicyclette, cet engin du diable qui provoquera la disparition du corset.

radical sur ce chapitre et les femmes se contentent d'adapter leurs effets aux contraintes du moment. Elles délaissent peu à peu tout ce qui leur paraît malcommode, boudent ce qui entrave leurs mouvements, refusent désormais le supplice du corset. À la fin du conflit, la métamorphose est achevée : la mode est aux silhouettes longilignes, aux « femmes-lianes » en robes-chemises ou robes-tubes, androgynes, au buste menu.

MUSES ET GARÇONNES

C'est l'avènement des « garçonnes », ces outrageuses... Leurs cheveux courts, coiffés d'un chapeau cloche, deviennent même un motif de divorce. En 1925, la robe tubulaire montre le mollet, puis découvre le genou : l'émotion est à son comble

dans tous les milieux conservateurs ; en Italie, l'archevêque de Naples clame que le séisme qui vient de toucher la côte d'Amalfi est l'expression de la colère divine provoquée par ce blasphème vestimentaire ; aux États-Unis, certains États prévoient – en vain– des amendes ou des peines de prison pour les effrontées qui céderaient à cette tendance. Mais les « garçonnes » finissent malgré tout par imposer leur style. Les grands noms de la couture parisienne, comme Madeleine Vionnet et madame Paquin, s'adaptent à la nouvelle tendance ; Paul Poiret, le maître de ce début de siècle, y renonce et se laisse dépasser par deux jeunes stylistes très ambitieuses : Gabrielle Chasnel, dite « Coco » Chanel, et Elsa Schiaparelli. Le Tout-Paris les adore, intellectuels et artistes recherchent leur compagnie : Elsa est une intime des Dali ; Coco Chanel est l'amie de Picasso, de

Cocteau, de Max Jacob et de Stravinski. C'est elle qui, en quelque sorte, invente la femme moderne : issue d'un milieu extrêmement modeste, audacieuse et battante, mademoiselle Chanel comprend mieux que nulle autre les aspirations et les besoins des femmes de son époque. Elle façonne une silhouette inédite, sobre et nette, d'une élégance dépouillée. Ses tailleurs droits en jersey de laine, ses pantalons et ses pull-overs sont bientôt des best-sellers mondiaux. Elle impose le noir, « parce que le noir est indémodable ». La simplicité de ses créations fait d'abord jaser les bienpensants : Coco Chanel va à l'essentiel, libère la femme, la veut aussi indépendante et maîtresse de son destin qu'elle-même peut l'être. Son succès est sans précédent. En 1930, le chiffre d'affaires annuel de sa maison installée rue Cambon dépassera les cent millions de francs et plus de deux mille employés travailleront pour elle.

Elsa Schiaparelli la suit de près dans son irrésistible ascension. Elle conçoit des vêtements aussi élégants que confortables, convenant à toutes, bourgeoises ou modestes employées. Les modèles des deux virtuoses de la haute couture sont imités. La mode descend ainsi des hautes sphères pour conquérir la rue. À la fin des années 20, les jupes raccourcissent encore. Le costume féminin fait de nombreux emprunts à celui des hommes, on peut voir quelques dames en « knickers » et cravate (que Chanel ellemême aime à porter dans sa version en crêpe de Chine), tirant de longues bouffées de leurs fume-cigare. Le soir, les riches élégantes se glissent dans des robes fluides aux épaules carrées ; les couturiers jouent avec de fausses longueurs, ajoutant des bordures de mousseline aux ourlets raccourcis, des envolées de soieries et des voiles, superposant les transparences. On aime les tailles basses, les sautoirs et les fourrures, les traînes et les aigrettes, sortir bras nus et provoquer. Le délire de la fin des Années folles s'exprime dans l'ensemble de la mise, des cheveux jusqu'au bout des ongles. Les femmes ressemblent aux gravures d'Erté, dessinateur des couvertures de *Harper's Bazaar* et disciple de Paul Poiret. La nuit, on croise parfois d'étranges créatures, aux sourcils très épilés, à la peau bronzée, aux yeux de braise, à la bouche en cœur... Des femmes aux ongles multicolores... dans la bouche desquelles la coquetterie place parfois des dents en or ou incrustées de pierres précieuses... On en a même vu avec le crâne rasé, entièrement maquillé de poudre d'or... Les excentriques jouent les femmes fatales, disponibles et lointaines à la fois, perchées sur leurs hauts talons, prenant des poses à la Louise Brooks.

Dans les années 30, les ourlets recom-

Durant l'Occupation, la sobriété est de rigueur : plis, poches et boutons sont calculés au plus juste. Les couleurs, sombres, suivent l'air du temps...

Page suivante : *Le « Théâtre de la mode » tente, en mai 1945, de relancer l'industrie de la haute-couture française dans le monde.*

mencent progressivement à descendre. On se rattrape sur les dos décolletés, dévoilés jusqu'à la taille. Les robes et les jupes soulignent beaucoup plus les hanches, deviennent moulantes au niveau des fesses. On accessoirise l'ensemble de capelines et de boléros. Peu à peu, la mode se démocratise. Les tissus synthétiques contribuent à cette évolution, de même que la diffusion de patrons qui permettent de copier un style, voire un modèle de couturier. Au cours de cette décennie, les tendances les plus diverses se succèdent, du néo-romantisme au bucolisme paysan. Seul dénominateur commun à toutes ces silhouettes : la taille étranglée, grâce aux gaines et à un retour – éphémère – du corset. On manque singulièrement de repères. Le monde glisse doucement vers les ténèbres...

LES ANNÉES SOMBRES

Durant l'Occupation, plusieurs maisons de couture ferment leurs portes, à l'exemple de Chanel. Molyneux et Worth préfèrent partir pour l'Angleterre, Schiaparelli, pour les États-Unis. Cependant, beaucoup d'autres choisissent de rester à Paris et de poursuivre leur activité, parmi lesquels Patou, Rochas, Balenciaga, Fath, Ricci ou Lanvin. La clientèle de la haute couture est alors largement constituée de riches collaborateurs et de dignitaires nazis désireux de procurer à leurs femmes et/ou maîtresses les derniers produits de la mode française. Tout au long de ces années noires, les grands couturiers ne se plient à aucune restriction de tissu ou de main-d'œuvre : pourquoi faire des économies qui ne pourraient profiter qu'à l'occupant ? Leurs créations sont donc particulièrement sophistiquées et luxueuses, avec des robes du

soir amples et longues, des modèles aux épaules toujours larges et à la taille fine. Pour la « Française moyenne », en revanche, le rationnement conditionne toute la production vestimentaire. On calcule au plus juste le nombre de boutons, de plis, de poches. On fabrique des robes étroites et courtes, sans aucune fantaisie. Et beaucoup de femmes se contentent de porter des vêtements de travail solides et commodes. À partir de 1941, la pénurie de matières premières stimule l'ingéniosité des coquettes désargentées : puisque le cuir manque, on se fabrique des chaussures à semelles compensées en bois ou en liège. Si l'on n'a plus de bas, on porte des socquettes. Les sacs à bandoulière se substituent aux sacs à main, moins pratiques. Une seule note de folie, le seul caprice de ces années d'austérité : le chapeau. On en voit d'incroyables, confectionnés avec des matériaux de récupération. Mais elles sont relativement peu à oser les porter, préférant la sobriété des foulards et des turbans, qui peuvent, de surcroît, cacher une coiffure défraîchie ou des cheveux qu'on n'a pas eu le temps de coiffer. Pour la femme de la rue, la mode n'est évidemment pas un souci majeur, et ne concerne qu'une minorité de privilégiées... En zone libre, le gouvernement de Vichy est avant tout soucieux d'imposer ses canons moraux et esthétiques ; ses zélateurs conseillent donc certaines tendances aux créateurs : des lignes de vêtements inspirées des costumes régionaux ou folkloriques, afin d'exalter le charme sage de la « femme française traditionnelle ». Pendant ce temps, replié sur lui-même et sur un microcosme déshonoré, le milieu de la mode perd son aura internationale. Paris est déchu de son statut de capitale de la haute couture.

UN RÉVEIL DOULOUREUX...

À la Libération, les couturiers retrouvent le sens de la sobriété. Des stylistes et des artistes tentent de redonner dignité et crédibilité à l'industrie de la mode. Durant l'hiver 1945-1946, ils inventent ensemble le « Théâtre de la Mode », une exposition itinérante (à Londres, Copenhague, Barcelone et dans plusieurs villes des États-Unis) de poupées-mannequins habillées par les grands de la couture tels que Balenciaga, Fath, Grès, Lanvin, Patou, ou Worth et présentées dans un décor parisien conçu – entre autres – par Jean Cocteau. Mais ce bel effort n'est pas suffisant pour pallier le manque de créativité ambiant.

Il faut attendre le printemps 1947 pour qu'émerge un courant inédit et que circule une énergie nouvelle initiée par un certain Christian Dior. La rumeur, depuis un an , affirmait qu'il s'apprêtait à monter sa propre maison, financée par le roi français du coton, Marcel Boussac... Le 12 février 1947, Dior présente sa première collection dans son nouveau fief de l'avenue Montaigne. Effervescence et euphorie. Le milieu international de la mode est bouleversé. Un style est né. La rédactrice en chef de *Harper's Bazaar* le baptise « New-Look ». Dior lui-même parle de ligne Corolle pour décrire ses femmes-fleurs : les épaules sont menues et arrondies, la taille est très cintrée, la jupe, extrêmement large (et pouvant nécessiter jusqu'à

- **1965** : Léon Duhamel imagine l'« En-cas » (de pluie), qui devient le « K-Way ». Kenzo est le premier créateur japonais à s'installer à Paris.

- **1966** : Paco Rabanne présente, lors de sa première collection, des robes fourreaux réalisées avec des pastilles en plastique reliées par des anneaux métalliques.

- **1968** : Sonia Rykiel ouvre sa propre boutique. Chantal Thomass et Nino Cerruti proposent leurs premières collections.

- **1971** : Ralph Lauren crée ses premiers tailleurs pour femmes.

- **1973** : Premières collections pour Issey Miyake et Thierry Mugler.

- **1975** : première collection Armani pour femmes.

Ci-dessus : *Robe de soie Dior, avril 1957.*

Ci-dessous : *La robe « 33 tours » de l'été 1965, à réaliser le temps d'un disque : deux coutures et un ourlet suffisent !*

15 mètres de tissu), descend 10 centimètres sous le genou... La lingerie semble presque superflue, car l'intérieur des robes est structuré comme une armature très efficace. Le corsage est extrêmement moulant, l'accumulation de jupons en tulle empesé donne à cette nouvelle silhouette des allures de ballerine.

Dior et son New-Look feront la gloire de la haute couture parisienne jusqu'à la mort du maître, en 1957. Jacques Fath et Cristobal Balenciaga se partagent le marché avec lui. Sur l'univers des femmes règnent donc désormais des hommes. Le phénomène est nouveau, il va perdurer. Fath le prophétise dès 1954, déclarant à la presse que la création est masculine, et que le rôle des femmes dans le domaine de la mode ne devrait être que de porter les vêtements... Pourtant la même année, la maison Chanel rouvre ses portes. Coco est une farouche ennemie du New-Look et de ces couturiers si sûrs d'eux. On rapporte qu'elle laissait éclater sa rage contre celles qui suivaient leur mode, ces « idiotes, habillées par des pédales qui vivent leurs fantasmes par procuration. Ils rêvent d'être des femmes : voilà pourquoi ils leurs donnent l'allure de travestis[1] » !

LA GÉNÉRATION ROCK'N'ROLL

La sophistication du New-Look, le côté « guindé » de son ultra-féminité sans faille répond parfaitement aux exigences du moment : après la guerre, les classes moyennes se sont développées, et avec elles, une morale bourgeoise qui renvoie la femme au foyer. La « bonne épouse » tolère la

1. Cité par Valérie Steele, *Se vêtir au XXᵉ siècle*, Adam Biro, 1998.

gaine du matin au soir, ne porte pas de vêtements voyants ou provocants, n'existe que pour le bien-être de son mari et de ses enfants. Mais ce conformisme moral et esthétique est battu en brèche à la fin des années 50 par l'émergence d'une mode pour les adolescents, véhiculée par le rock'n'roll et ses idoles : Marlon Brando, James Dean, Elvis Presley. Les ados se rebellent, les filles portent des jeans et chipent les blousons et T-shirts des garçons. Les twin-sets moulants, les jupes-boules et les jupons font également partie de la garde-robe des jeunes filles. La rue impose un style. La musique réinvente la mode. À Paris, au milieu des années 50, on écoute du be-bop, Miles Davis et Juliette Gréco donnent l'exemple, on porte des pulls sombres à col roulé et des pantalons collants dans les caves de Saint-Germain-des-Prés. La révolution des années 60 est amorcée.

MODE ET ART POPULAIRE

Dès 1955, Mary Quant, jeune styliste anglaise, a installé sa boutique *Bazaar* sur King's Road. Elle habille les rockers et les Mod's. Les jupes qu'elle vend aux étudiantes raccourcissent d'année en année. En 1961, la minijupe et les Beatles secouent la ville, l'Angleterre, puis le monde. Mary Quant et Courrèges dévoilent les cuisses de mannequins extrêmement minces et juvéniles, tels que Jean Shrimpton puis Twiggy-la-brindille. Les « Lolita » ont le vent en poupe. Elles sont provocantes, ambiguës, idéales. Tout semble possible, il faut rompre avec le passé, les convenances, avec toute contrainte. Penser autrement. En 1963, le jeune Yves Saint Laurent, d'abord successeur de Dior, fonde sa propre maison. Il suit de près

L'épopée du Blue-Jean

Au XIXᵉ siècle est commercialisé un tissu quasi indestructible : le « Dencan ». Ce coton, fabriqué à Nîmes et teint jusqu'à treize fois avec de l'indigo, est traditionnellement utilisé pour confectionner les costumes des marins gênois. Par habitude, on finit donc par le rebaptiser « Bleu de Nîmes » ou « Jean de Nîmes ». Exportée en Amérique du Nord pour servir à fabriquer des bâches et des tentes, l'étoffe trouve son nom définitif : le « Blue-Jean Denim ».

En 1853, Oscar Levi-Strauss, d'origine bavaroise, a l'idée de vendre un pantalon taillé dans cette toile aux chercheurs d'or californiens. Sept ans plus tard, il signe ses pantalons : une pièce de tissu huilée, cousue à même le vêtement, porte son nom.

Deux cents ans plus tard, plus de sept milliards de « jeans » sont achetés dans le monde, la moitié par des femmes.

D'abord adopté par les aventuriers, ouvriers et prisonniers américains, le « jean » devient, dans les années 50-60, l'attribut des rebelles, hommes et femmes. Dans les années 70, le denim, symbole de liberté et d'anticonformisme, est récupéré, version « pattes d'éph' », par les hippies. Le milieu de la mode lui accorde enfin sa reconnaissance : en 1971, Levi-Strauss reçoit le prix Coty des critiques de mode. Rendu célèbre par les militants de la contre-culture, le jean devient un « must » pour tous, sans distinction de sexe, ni de rang social. De nombreux créateurs l'intègrent dans leurs collections. Parmi eux, le plus célèbre est celui de Calvin Klein : dans l'une des publicités télévisées réalisées pour lui par Richard Avedon, Brooke Shield, 15 ans, susurre au spectateur : « Vous voulez savoir ce que je porte sous mon jean ?... Rien ! ». Brut ou délavé, « cigarette » ou « trompette », le jean, d'un millénaire à l'autre, n'est « vieilli » que pour être plus beau...

- *1976* : *première collection signée Jean-Paul Gaultier.*

- *1977* : *première boutique Agnès B., ouverte par la créatrice* Agnès Bourgois.

- *1979* : *Cardin organise le premier défilé de mode à Pékin.*

- *1981* : *Azzedine Alaïa se lance dans le prêt-à-porter.*

- *1982* : *Karl Lagerfeld fait son entrée chez Chanel. Deux ans plus tard, il crée sa propre société.*

- *1983* : *création de la marque de prêt-à-porter Lolita Lempicka, par Josiane et Joseph Pividal. Collection de Rei Kawakubo pour Comme des garçons.*

- *1985* : *Vivienne Westwood prône le retour du corset et invente une mini-crinoline, composée d'une armature démontable, à porter avec une minijupe.*

- *1986* : *Christian Lacroix ouvre sa maison.*

- *1989* : *le styliste Martin Margiela retaille des vêtements usagés, les effiloche, rend les doublures apparentes et prône la mode de la « déconstruction ». Il est bientôt suivi par d'autres, tels Helmut Lang ou Ann Demeulemeester.*

- *1992-1993* : *le « grunge », courant musical, devient une mode : chemise à carreaux, aspect négligé, superpositions.*

- *1998* : *premier « cyber-défilé » et mannequins virtuels dans un décor en images de synthèse, réalisé pour la présentation d'une collection Thierry Mugler.*

*Métal et Cellophane :
les nouveaux matériaux de
la mode futuriste des années 60.*

la mode de la rue, s'inspire du pop art, admire Andy Warhol. En 1965, il présente ses robes « Mondrian », en hommage au célèbre peintre abstrait hollandais. Ses pantalons, sahariennes, jupes-culottes et cabans deviennent des classiques. Courrèges, Paco Rabanne, Emanuel Ungaro, Pierre Cardin décident d'inventer le futur. Ils utilisent de nouveaux matériaux : le vinyle, le polyester, l'acrylique, le plastique ou le métal. Les pantalons taille basse à « pattes d'éléphants », la minijupe bandeau, la cagoule, les bottes à mi-mollets composent la tenue de leurs étranges femmes de l'espace. En marge de cette fièvre créative, la haute couture traditionnelle conserve sa clientèle huppée. Mais la décennie est incontestablement marquée par l'explosion du prêt-à-porter : un secteur qui gagne ses lettres de noblesse, notamment grâce à des créatrices telles qu'Emmanuelle Khan ou Sonia Rykiel. Dior, Lanvin et Chanel restent indétrônables, mais Balenciaga perd son inspiration et prend sa retraite en 1968. Année charnière...

SOUS LES PAVÉS...

Les événements de mai 68 et la révolution sexuelle font de la liberté d'expression un impératif de vie. En matière de mode peut-être plus que dans tout autre domaine, les repères ont définitivement changé. La diversité des styles est devenue la règle, ce qui reste toujours d'actualité. Le mouvement psychédélique, les hippies qui s'habillent de fripes, de vêtements indiens, de gilets brodés, de tissus en patchwork, de T-shirts « tie and dye »[1], inspirent aux stylistes une mode folklorique, ouverte à toutes les influences ethniques. De ce courant découle également une grande souplesse conceptuelle, à l'origine de la mode d'aujourd'hui. En 1970, les jupes très longues – dites « maxi » – côtoient les minijupes. Jusqu'en 1975, les styles se bousculent : le glamour hollywoodien des années 30 rencontre les années 40 avec les chaussures à semelles compensées ; les salopettes disputent la vedette aux pantalons bouffants, aux mini-shorts et aux longues jupes fluides néoromantiques... Les spécialistes, rédactrices de mode et photographes, parlent d'« anti-mode ». On utilise le faux daim, le Skaï, les paillettes, le Lurex : la notion de goût, bon ou mauvais, paraît obsolète. Le jean est une base qu'on personnalise avec des écussons, des broderies, des dessins « homemade ». La mode est devenue un véritable langage que chacun peut s'approprier. En 1975, les pantalons redeviennent étroits. Le disco transforme ses adeptes en épouvantails kitsch bariolés. Heureusement, pendant que Travolta s'agite dans *La Fièvre*

1. Procédé qui consiste à tordre un vêtement avant de le plonger dans la teinture. Le résultat obtenu, une couleur inégalement répartie, produit un motif « psychédélique ».

du samedi soir, d'autres tendances émergent. Le brassage ethnique continue de renouveler la haute couture et, dans une moindre mesure, le prêt-à-porter. Des créatifs asiatiques conquièrent la capitale : Issey Miyake et Kenzo s'installent à Paris.

DÉSENCHANTEMENT ET CONTRE-CULTURE

Tout évolue très vite. Dès qu'un mouvement émerge, un contre-courant se crée. Ce bouillonnement culturel culmine, en 1976, avec l'anarchie punk. « No future ! » Assez de paillettes, de cols « pelle-à-tarte » satinés, de nostalgie post-soixante-hui-tarde... À Londres, la styliste Vivienne

Westwood a ouvert une boutique opportunément baptisée *Sexe* : elle y vend ses créations, des vêtements et accessoires détournés de leur seule destination fétichiste ou sado-maso-chiste originelle. On y rencontre des rock stars, des groupes underground, le gratin de la « punkitude », adepte de piercing et d'un look « tribal » : coiffures iroquoises, chaussures Doc' Martens, chaînes et épingles de nour-

rice, cuir et latex. Le style punk brise les derniers tabous en matière de comportement vestimentaire. Son influence ne tarde pas à se faire sentir jusque dans les créations des plus honorables maisons : le cuir y est à la mode. L'androgynie et l'érotisme sont des thèmes exploités dans beaucoup de collections.

Des hippies aux « superwomen » : en dix ans, l'univers de la mode s'est métamorphosé et une génération s'est assagie.

DES ENFANTS TERRIBLES

Mais cette agressivité prend une autre forme dans les années 80, la décennie du culte du corps. On envahit les salles de gym. Le « sportswear » est à l'honneur, le Lycra permet de fabriquer des vêtements particulièrement moulants et confortables. Thierry Mugler et Azzedine Alaïa recréent la « vamp », avec des modèles très structurés et près du corps, érotiquement connotés. En 1983, Karl Lagerfeld arrive chez Chanel et rajeunit considérablement l'image de l'honorable maison. Pour lui, Coco a achevé sa

Christian Lacroix, John Galliano et Jean-Charles de Castelbajac : rien ne se perd, tout se transforme... L'inspiration émerge du passé, la haute-couture retrouve le début du siècle.

carrière sur trop de distinction et de raffinement : dix ans plus tard, il fait donc défiler des mannequins en veste et slip kangourou griffé... Une deuxième vague de stylistes japonais débarque à Paris : Yohji Yamamoto et Rei Kawakubo (Comme des Garçons) aiment les vêtements inspirés de tenues traditionnelles ou de travail, étudient les asymétries et les formes géométriques. En 1985, Jean-Paul Gaultier invente la jupe pour hommes. À l'androgynie kitsch de la fin des années 70 succède la confusion des genres : féminin ou masculin, on s'amuse à brouiller les pistes. Les « Drag Queens » s'immiscent dans la brèche, reines des nuits parisiennes... Mais le classicisme a aussi ses *aficionados*, notamment parmi les Américains : Ralph Lauren ou Calvin Klein. En 1986, avec ses vêtements colorés, riches en passementeries et en broderies, d'inspiration provençale, luxueux et originaux, Christian Lacroix tranche avec la tendance monochrome, masculinisante voire minimaliste d'autres créateurs. Ceux-là sont des avant-gardistes, parmi lesquels les Belges Margiela et Demeulemeester, le Suédois Marongiu, l'Autrichien Lang ou l'Africain Xuly-Bet. Les proportions de leurs vêtements – trop grands ou trop petits – sont exagérées, les coutures sont apparentes, l'aspect brut de la matière frôle souvent le misérabilisme.

RÊVE OU CAUCHEMAR FIN DE SIÈCLE ?

Dans les années 90, le meilleur côtoie le pire. D'anciennes modes sont relancées, on retrouve parfois le rétro le temps d'une collection. Des courants musicaux, comme le rap ou la techno, se réapproprient des styles, piochent leur inspiration dans les domaines et

les courants, passés ou présents, les plus divers. Le nihilisme de certains vêtements complètement déstructurés – pour ne pas dire informes – s'expose à côté de l'éclectisme et de l'exotisme d'autres créations, telles que celles de Rifat Ozbek, John Galliano (lui-même successeur de Gianfranco Ferré) chez Dior, ou Alexander Mac Queen pour Givenchy. La rue ne copie plus la haute couture, mais l'inverse est beaucoup plus fréquent. On parle de « concept ». On en oublie parfois la femme qui est supposée porter le vêtement. Pour trop de créateurs, la problématique s'est déplacée, et ce bouleversement s'avère parfois incongru. Dans ces femmes au visage masqué, défigurées par des fards représentant des blessures, volontairement enlaidies, qui encombrent les pages des magazines, on cherche en vain la femme idéalisée par les génies de la mode. L'ultra-réalisme de ces créations confine parfois au sordide. La mode des années 90 semble en pleine crise identitaire. On s'y perd. La réminiscence est peut-être opportune... « Sauver la femme du naturel pour la rendre plus belle » : d'une génération à l'autre, le credo de Christian Dior pourrait indiquer la voie...

- *Prénoms :* Jacqueline, Colette, Jeanne, Marguerite, Louise.

- *Situation familiale :* seule au foyer pendant les années de guerre ; 600 000 veuves après le conflit, sans compter les victimes de l'épidémie de grippe espagnole de 1918 (400 000 victimes).

- *Âge au premier mariage :* 22 ans.

- *Nombre d'enfants par femme :* 1,65.

- *Professions :* téléphoniste, cantinière, ambulancière et « munitionnette » pendant que les hommes sont au front. Repasseuse à domicile, nourrice, couturière.

- *Lectures et magazines préférés : Du côté de chez Swann, L'Atlantide.* Revues : *Femina, Modes et Travaux.*

- *Films ou feuilletons préférés : Fantômas, Judex, Charlot soldat.*

- *Chanteurs préférés :* Polaire, Yvette Guilbert, Fréhel.

- *Chansons préférées : La Madelon, Auprès de ma blonde.*

- *Sports et loisirs :* bicyclette, tennis, croquet, équitation.

- *Alimentation :* cuisine riche jusqu'à la guerre, repas comportant plusieurs plats chez les bourgeois.

- *Soins du corps :* postiches, emploi du henné, vaseline sur les lèvres, début de la chirurgie esthétique, apparition de produits dermatologiques.

DÉSHABILLÉE POUR SÉDUIRE

« RIEN NE VA AUSSI PROFOND QUE LA PARURE, RIEN NE VA AUSSI LOIN QUE LA PEAU,
L'ORNEMENT A LES DIMENSIONS DU MONDE. »
Michel Serres, *Les Cinq Sens*, Grasset, 1985.

Seins insolents, fesses arrogantes, hanches accueillantes, taille étranglée ou libérée, cuisses gainées ou dénudées... Le corps de la femme parée de ses dessous se nourrit de paradoxes, entre exhibitionnisme et pudeur. La lingerie féminine en dit fort long sur celle qui la porte, mais confesse également les fantasmes et les mœurs de son temps. Qu'elle joue à la maman ou à la putain, qu'elle se conforme à la décence ou aux rites de la séduction, la femme en déshabillé incarne un mystère que le masculin tente nécessairement de percer. D'une génération à l'autre, les falbalas secrets parlent de mode et de frivolités mais aussi de révolte ou de soumission, portant l'éventuelle controverse jusque dans les alcôves.

LE GOÛT DU FRUIT DÉFENDU

Les belles de ce début de siècle sont caparaçonnées à l'extrême, le corps enserré des épaules aux cuisses dans un corset qui fige tous les mou-

vements et empêche le moindre laisser-aller. De multiples couches de vêtements complètent l'ensemble, apparemment inexpugnable. Le goût de l'interdit suscité par cet incroyable carcan provoque évidemment bien des débordements et titille agréablement la libido.... Depuis quelques années, en France, un magazine coquin, *La Vie parisienne*, détourne les

• **1900** : *innovations au rayon lingerie de l'Exposition universelle : la mort du corset est annoncée.*

• **1910** : *ouverture de la boutique Cadolle à Paris, fondée par Herminie Cadolle, amie de la révolutionnaire anarchiste Louise Michel et « inventrice » du « corset-gorge », ancêtre du soutien-gorge.*

• **1910** : *la classe moyenne lance la mode du vélocipède, les danses venues d'Amérique demandent de la souplesse (tango, ragtime, etc.) : il faut des sous-vêtements adaptés.*

• **1918** : *le corset est progressivement détrôné par la gaine.*

• **1920** : *les « garçonnes » s'aplatissent les seins avec des brassières. Désormais, on s'épile les jambes et les aisselles. L'idéal, c'est Garbo : corps lisse, poitrine plate, voix grave.*

Le siècle commence dans l'extrême : taille de guêpe et silhouette en S, le corset enflamme l'imagination des hommes et contraint le corps des femmes.

dessous à des fins salaces, tandis qu'aux États-Unis, le strip-tease fait des ravages avant de se propager à Paris et de faire les délices d'intellectuels érotomanes tels que Toulouse-Lautrec.

En 1910, les effeuilleuses des music-halls de la butte Montmartre inaugurent le « body », un collant semi-opaque qui couvre tout le corps sans rien en dissimuler. La femme convenable, elle, méprise cette chair débridée et préfère les raffinements de la contention : la rigueur de sa vêture correspond à celle de son comportement. Sa silhouette torturée, en S, semble en adéquation avec le style « nouille » en vogue, ne troublant en rien l'harmonie du quotidien. Elle est discrète – mimétique – au point de se fondre dans le décor...

Mais le décor en question ne tarde pas à perdre de sa quiétude. La Grande Guerre éclate et chamboule les repères de cette trop Belle Époque. La femme ne peut plus demeurer figée, sanglée dans ses vêtements, être aussi vulnérable. L'évolution est radicale : les jupes raccourcissent, le corset se transforme en une ceinture porte-jarretelles, les jarretières, qui glissent ou compressent trop les cuisses, sont jetées aux orties. L'ancien attirail est ravalé au rang de déguisement désuet, et la panoplie contraignante d'autrefois ne sert plus que les fantasmes des fétichistes, exploitée par les demoiselles de petite vertu.

DÉMONES ET MERVEILLES

Le tourbillon des Années folles apporte aux femmes sa légèreté et son parfum de liberté. La fameuse « garçonne » en est le symbole. Les filles fument et osent, s'habillent en

homme mais ne renoncent pas pour autant aux culottes de soie et chemises légères, affectionnant tout particulièrement les déshabillés vaporeux et le porte-jarretelle. Presque nue sous sa robe, la femme des années 30 est une arrogante qui s'amuse à rencontrer les hommes sur leur propre terrain : elle grimpe à vélo, se pique d'équitation, pilote des automobiles, bref n'en fait qu'à sa tête et profite à la campagne des récents congés payés. Lorsqu'elle est citadine et noctambule, elle remonte ses jupes et dévoile ses jarretelles pour danser le charleston : à Paname, au « Bal nègre » ou au « Bal des Invertis », de Montparnasse à la Bastille. Joséphine Baker inaugure le déshabillé exotique, seins nus avec sa ceinture de bananes et ses plumes d'oiseau rare. Mais la femme des Années folles peut également apparaître sombre et tourmentée. Cette nouvelle créature, mystérieuse et fatale, est incarnée en Allemagne par Marlene Dietrich, la Lola en bas et culotte de *L'Ange Bleu*, filmée par Josef von Sternberg. Lola-la-garce, amère et cruelle, qui se joue de ses amants et mène son mari à la plus complète déchéance, préfigure le désenchantement et la fin d'un monde.

DE LA TOILE PARACHUTE À LA GUÊPIÈRE DE CUIR

Pendant la Seconde Guerre mondiale, les femmes tentent d'oublier la gravité de l'instant grâce à quelques futiles subterfuges : elles dessinent la couture de bas inexistants sur leurs mollets nus et teintés au brou de noix, se confectionnent des slips minuscules dans le Nylon des parachutes, ravaudent comme elles peuvent leur vieille lingerie. La coquetterie qui va

se nicher dans leurs dessous péniblement bricolés contribue à préserver cette dignité qu'elles défendent avec acharnement. Les plus fortunées font les beaux jours du marché noir, et les moins scrupuleuses se laissent parfois acheter pour une paire de bas de soie ou une culotte de dentelle. Des drames éclatent pour quelques frivolités, des amoureux vont jusqu'à risquer leur vie pour se procurer au prix fort la lingerie fine qui gagnera les faveurs de leur dulcinée.

La guerre finie, les femmes redécouvrent peu à peu le luxe grâce aux couturiers, qui célèbrent la paix à leur manière. En 1945, Marcel Rochas invente la guêpière. En 1947, Christian Dior lance sa silhouette « New-Look », façon sablier : taille de guêpe, hanches galbées, poitrine en avant. Pour façonner ce corps idéal de déesse grecque, la gaine, le bustier ou le tout nouveau « combiné-gaine » s'avèrent nécessaires. Le corset fait une réapparition remarquée, plus souple, taillé dans des matières nouvelles qui permettent le mouvement. La femme de la rue rêve de ressembler aux stars de cinéma qui font galo-

À partir de 1947, la silhouette « New-Look » impose guêpière, bustier et combiné-gaine.

Après la guerre, le glamour fait fureur. Les « pin-up » titillent la libido des hommes et installent durablement la panoplie des dessous coquins, avec bas résille et lingerie noire (Betty Page, 1955).

per la libido de tous les mâles : Jane Mansfield, Gina Lollobrigida, Jane Russell ou Sophia Loren.

À Hollywood, la censure tente de castrer la créativité des cinéastes en interdisant la nudité, mais les dessous des actrices n'en deviennent que plus provocants. La puissance érotique de leur image est décuplée par la suggestivité de déshabillés particulièrement torrides. Betty Page devient en quelques années un véritable phénomène de société : cette jeune pin-up aux cheveux de jais prend la pose en guêpière ou en Bikini, portant bas résille (les « cages à mouches » des filles dévergondées) et chaussures à très hauts talons. Elle est la muse des fétichistes et des amateurs de sadomasochisme soft. Son succès foudroyant tient à ce qu'on appelle alors le « sex-appeal », exalté par une lingerie fantasmatique qui se décline au grand jour en cuir, latex ou vinyle. Sortis des « claques » et autres maisons closes, ces dessous-là deviennent des objets cultes. Mais la tendance générale est beaucoup plus sage. La lingerie sacrifie de plus en plus la sophistication au confort.

FEMME-OBJET OU RETOUR DE LA FEMME FATALE ?

La tendance s'accentue jusque dans les années 60. Les bas auto-fixants remportent un certain succès auprès des jeunes femmes, qui aspirent à un mode de vie moins strict : c'est l'époque « yé-yé » et l'âge d'or du twist. Le vent tourne, les jeunes s'émancipent. À partir de 1965, les bas sont obsolètes et inadaptés, chargés d'un érotisme que l'on dénigre. Ils sont donc remplacés par le collant. On adopte aussi le « panty » : cette culotte moulante descend jusqu'à mi-cuisse ; plus légère qu'une gaine, elle

Vous aurez la poitrine que vous désirez...

avec

Very Secret

le nouveau soutien-gorge à bonnets compensés
BREVETE S.G.D.G.

VERY SECRET est un élégant soutien-gorge en Nylon, de conception entièrement nouvelle dont les bonnets sont doublés d'une poche en matière plastique d'une extrême finesse, gonflable à volonté.

VERY SECRET est un "coussin d'air" confortable et douillet qui épouse intimement la forme exacte de votre poitrine et peut ainsi la maintenir et l'embellir sans vous gêner.

Par simple insufflation d'air
• vous mettez vous-même "VERY SECRET" à vos mesures.
• vous pouvez, si vous le désirez, augmenter le volume de votre poitrine.

1. Placez VERY SECRET qui ne diffère en rien du plus élégant des soutiens gorge.

2. Introduisez la pipette. Soufflez sans forcer jusqu'à l'obtention du volume désiré.

3. Retirez la pipette et pressez légèrement la valve qui s'obturera automatiquement.

FABRIQUÉ ET DISTRIBUÉ PAR Scandale
POUR RENSEIGNEMENTS : S. A. LA GAINE SCANDALE, 7, RUE ROYALE PARIS (8°) ANJ. 73-17

gomme les rondeurs... et fait office de répulsif à garçons ! Ce qui ne saurait contrarier les féministes. Celles-ci s'agitent et vilipendent la « femme-objet ». La lingerie est le symbole de la soumission aux instincts brutaux du mâle. En mai 68, les pavés de Paris volent bas. Ces dames ont brûlé leurs soutiens-gorge en place publique et bannissent les sous-vêtements. Un an plus tard, à Woodstock, les filles portent des couronnes de fleurs et dansent torse nu. On a soif d'innocence et de paix.

Mais la libido ne connaît aucun répit. Les fantasmes ont besoin d'être nourris autrement que par la vision de gentilles « babas cool » en tenue d'Eve. Le raffinement de la lingerie évoque un désir plus complexe, volontiers pervers, nettement plus satisfaisant.

Le miroir aux alouettes

Les coquettes de ce début de siècle vilipendent le naturel, qui confine pour elles au vulgaire. Pour charmer, elles n'hésitent pas à recourir aux plus extravagants subterfuges, la séduction reposant alors sur le trompe-l'œil et l'exagération des attributs sexuels féminins. Lassées des « faux-culs » de jadis, elles se préoccupent désormais d'affiner leur taille et d'étoffer leur buste. Certaines n'hésitent pas à se métamorphoser grâce à une paire de seins artificiels ; plusieurs modèles sont à leur disposition : du simple rembourrage de satin aux coussinets en peau de chamois, en passant par la poitrine factice en caoutchouc, parfois gonflable, ou les seins à ventouses, restant au « garde-à-vous » à longueur de journée... D'autres encore préfèrent la solution du dopage et se gavent de pilules miracle dont l'appellation pseudo-exotique semble déjà promettre toutes les voluptés : les « pilules turques » ou « orientales » doivent donner au buste un gracieux embonpoint, sans faire grossir le reste...

Les magazines érotiques se portent fort bien, car ils n'ont jamais renoncé aux porte-jarretelles et autres « pièges d'amour ». Le cinéma non plus ne les a jamais reniés. La Nouvelle Vague ne cache d'ailleurs pas son goût pour les maîtresses-femmes suggestivement harnachées... Pour Buñuel, Godard, Truffaut et Schroeder, pour Dustin Hoffman fasciné par les bas d'Anne Bancroft dans *Le Lauréat*, cette femme-là détient les clefs de la vie, de la mort et du jeu amoureux. Rien à voir avec la poupée complaisante honnie par les féministes.

SÉDUCTION FIN DE SIÈCLE : LES NOUVELLES RÈGLES DU JEU

Les temps sont donc propices à l'émergence d'un nouveau modèle : celui de la « Superwoman », une femme tout terrain, qui a autant de vies qu'un chat. Il lui faut une linge-

le bas Scandale

AVEC LA GAINE SCANDALE

- **1956** : invention du soutien-gorge pigeonnant par Lejaby.

- **1958** : invention du collant.

- **1960** : la « société de consommation » est une réalité : les adolescentes veulent du confort et de l'esthétique. Des bretelles réglables élastiques sont pour la première fois adaptées sur les soutiens-gorge.

- **1962** : la société Dimanche lance le premier bas sans couture et devient Dim en 1965.

- **1964** : premiers monokinis à Saint-Tropez.

- **1965** : Mary Quant et André Courrèges, avec leurs minijupes, imposent les jambes nues ou voilées de collants opaques.

- **1968** : les sous-vêtements sont démodés. Les sociologues constatent que la minceur est de rigueur (depuis qu'on mange à sa faim). Jane Birkin, nue sous ses vêtements, est une image de femme idéale.

- **1975** : Dim crée sa ligne de lingerie et profite du retour des poitrines généreuses.

1980 : le Lycra est enfin au point. Dim propose des bas-jarretières à petit prix. Retour remarqué de la guêpière. Pour tous les jours, les sous-vêtements « stretch » et le « sportswear » séduisent les femmes actives.

- **1990** : c'est la mode du « outwear », des sous-vêtements portés sur ou à la place des vêtements. Thierry Mugler crée des « bustiers-carrosserie » et exploite l'aspect fétichiste de la lingerie.

- **1995** : triomphe du Wonderbra et des culottes « remonte-fesses », réapparition des « faux-culs » chez Viviane Westwood.

Page de gauche :
Les années 90 n'ont rien inventé. Le « Wonderbra » des années 50 s'appelle « Very Secret ».

Dans les années 80, Chantal Thomass remet au goût du jour la « femme-femme » sensuelle et frou-frouteuse, adepte du balconnet, de la guêpière et des porte-jarretelles.

1995 : les filles des soixante-huitardes qui brûlaient leurs soutien-gorge font un triomphe au « Wonderbra ».

rie pour séduire et une autre pour vaquer aux affaires courantes. Qu'à cela ne tienne! Le Lycra permet toutes les fantaisies, les sous-vêtements « stretch » sont pratiques, légers, solides… Mais pas toujours très « glamour ». Une jeune créatrice, Chantal Thomass, remet la guêpière, le bustier, les bas et leurs porte-jarretelles au goût du jour. Ses défilés égaient le milieu de la mode, qui ne connaît plus grand-chose d'autre en matière de sous-vêtement que le trop triste « string ficelle » enfilé à la va-vite par des mannequins décharnés… Grâce à Chantal Thomass, les frous-frous de toutes les couleurs, avec de la dentelle ou des rubans de satin, reviennent en force. Les Françaises ont été séduites par son concept de « femme-femme », qui enfile des bas après sa journée de travail pour sortir ou, tout simplement, passer une nuit d'amour avec son partenaire… Une femme qui s'avère tout simplement humaine, assumant son désir et ses faiblesses.

Dix ans plus tard, le jeu de la séduction est devenu aussi délicat qu'essentiel. Les filles des rebelles de mai 68 subissent le choc en retour des revendications de leurs mères. Célibat prolongé, vagues de divorces. Pour certaines, le sexe et l'amour sont les enjeux d'un combat acharné. Ces nouvelles guerrières portent leurs dessous comme on revêt une cuirasse : Madonna exprime cette féminité agressive en apparaissant sur scène en gaine et soutien-gorge conique dessinés par le couturier Jean-Paul Gaultier ; puis elle jette sa petite culotte dans la foule… Paco Rabanne incorpore des cuissardes et des jarretelles à une combinaison en cuir d'autruche. À Cannes, on se rend à des cocktails en pyjama de soie. Les dessous se montrent. Si la silhouette n'est pas parfaite, on l'arrange. En 1995, c'est le triomphe du Wonderbra, qui permet à toutes de se faire des seins de vamp : Eva Erzigova, l'égérie de la marque, fait frémir les hommes et encourage les femmes à jouer de leur décolleté. Les culottes « remonte-fesses » font également des merveilles. Aux États-Unis, des mères de famille prennent des cours de strip-tease pour vamper leurs maris et se ruinent en bustiers ou serre-taille. La panoplie sadomasochiste est récupérée par les fêtards et les artistes. Tous les excès sont permis.

D'un siècle à l'autre, grâce à l'écrin des dessous, la femme se rêve, se cherche, s'affirme et s'offre. S'imagine en amazone ou en hétaïre, se jouant de l'homme ou acceptant son joug. Le crissement des bas lorsqu'elle croise les jambes, l'échancrure d'un balconnet dissimulé sous la chemise, le coton immaculé d'une culotte entr'aperçue sous la jupe trop courte, la rendent incroyablement émouvante. Belle. D'un charme qui n'a cure des canons esthétiques. Parce que cette beauté-là ne se mesure qu'à l'aune du désir.

LA FEMME EN

1920

- *Prénoms :* Nicole, Denise, Paulette, Hortense.

- *Situation familiale :* beaucoup de célibataires, appelées « les veuves blanches » de la guerre.

- *Âge au premier mariage :* 24 ans.

- *Nombre d'enfants par femme :* 2,42.

- *Professions :* commerçante, ouvrière dans le textile, infirmière.

- *Lectures et magazines préférés : La Garçonne, Le Diable au corps, Gatsby le Magnifique, Thérèse Desqueyroux, L'Amant de lady Chatterley, Chéri.* Revues : *La Gazette du bon ton.*

- *Films ou feuilletons préférés : Le Docteur Mabuse, Le Cuirassé Potemkine, Le Kid, Les Deux Orphelines.*

- *Chanteurs préférés :* Joséphine Baker, Maurice Chevalier, Dranem, Jenny Golder, Lucienne Boyer, Yvonne George.

- *Chansons préférées : J'ai deux amours, Valentine.*

- *Sports et loisirs :* bicyclette, tennis, golf, danses de salon (charleston).

- *Alimentation :* obsession de la ligne « à la garçonne », débuts des régimes stricts. On boit des cocktails.

- *Soins du corps :* cheveux courts, premières permanentes, teintures de cheveux au henné, eau oxygénée, khôl, rimmel, rouge à lèvres, vernis à ongles de couleur, lancement à grande échelle des cosmétiques (Max Factor).

4

UNE IRRÉSISTIBLE ATTIRANCE

« LES FEMMES NE SAVENT PLUS ÊTRE TENDRES. ELLES ONT UNE LICENCE DE PHILOSOPHIE, ELLES COUPENT LA PAROLE. LA CULTURE D'UNE FEMME EST FAITE DE CE QU'ELLE A OUBLIÉ. LES HOMMES ONT BESOIN DE DOUCEUR, DE ROMANTISME ET DE CAPRICES SATISFAITS. CE SONT DES ENFANTS. »
Coco Chanel

Au début du XXe siècle, une jeune fille de bonne moralité ne sort ni sans chapeau ni sans chaperon. Il est, en effet, impensable qu'elle connaisse un tête-à-tête avec un soupirant. Ce sont les fêtes de famille et les bals qui lui permettent de trouver l'âme sœur. Encore faut-il que le prétendant soit accepté par le père de l'élue, auquel il doit faire sa demande en bonne et due forme. Les unions arrangées ne sont pas rares et la dot sévit toujours, même si elle se raréfie. Le mot « flirt » n'est pas encore entré en vigueur. On se borne à conter fleurette et à faire sa cour. Quant à la virginité, elle n'est pas un terme vain mais une nécessité pour la promise, sa couronne de fleurs d'oranger témoignant de son innocence.

Si le mariage est parfois régi par l'amour, il ressemble le plus souvent à un contrat... On se marie sans se connaître, pour le meilleur et pour le pire. L'homme est le chef de famille absolu et son épouse lui doit obéissance et fidélité. Que pourrait-elle faire d'autre, puisqu'elle n'a aucun droit ni aucune ressource dont elle puisse disposer librement !

En dépit de ces restrictions, cet engagement demeure le rêve auquel aspire toute jeune fille. Comment en serait-il autrement puisque, dès l'adolescence, l'école et son entourage n'ont cessé de lui en vanter les mérites ! Dans la fièvre, elle fabrique son trousseau en attendant le dernier moment pour broder les initiales du futur époux, dont le visage inconnu hante son âme tourmentée. La lecture de nombreux romans, ceux de Delly en tête (*Entre deux âmes*, ou *Le Maître du silence*), amplifie le mirage... même s'ils donnent peu de renseignements sur des étreintes qui demeurent mystérieuses. La jeune épouse aborde sa nuit de noces avec un mélange de curiosité et de peur mais peu importe qu'elle en sorte heureuse ou frustrée. Si le plaisir est une affaire d'hommes dont on ne parle pas, la sexualité féminine est essentiellement liée à la procréation. Comme dans beaucoup d'autres domaines, la guerre de 14-18 a changé les choses. Pendant que les pères, frères ou époux étaient au front, les femmes ont tenu les rênes du pays. On les trouve à la tête des

- **13 juillet 1907** : *législation sur le mariage (âge matrimonial, permission des parents). Les femmes mariées peuvent disposer de leurs salaires et de leurs économies. Celles qui travaillent avec leurs époux ne bénéficient pas de cette loi.*

- **1917** : *le pape Benoît XV réduit à trois les quatre degrés de parenté interdisant de se marier.*

- **1920** : *loi autorisant les femmes à adhérer à un syndicat sans la permission de leurs maris.*

- **18 février 1938** : *la femme gagne quelques libertés : celle de s'inscrire en faculté, de passer un contrat pour ses biens propres, d'accepter une donation, de séjourner dans un hôpital ou une clinique sans être accusée d'abandon de domicile.*

- **1941** : *impossibilité aux époux mariés depuis moins de trois ans de divorcer.*

- **1942** : *un certificat médical prénuptial est demandé.*

- **1963** : *mixité dans les collèges.*

- **1965** : *la tutelle maritale est abolie. Le mari ne peut plus empêcher sa femme de travailler ni de gérer ses biens propres.*

*Pas d'avenir hors du couple !
Dans les années 50, le seul destin
de la femme est encore d'être
une épouse et une mère modèle.*

exploitations agricoles, à l'usine, derrière le comptoir de magasins et, parfois, chefs d'entreprise. Cette situation leur donne de l'assurance. Elles ont prouvé qu'elles étaient capables de prendre des décisions et de faire face. Coïncidence ? Les couturiers Paul Poiret et Coco Chanel les incitent à enlever leur corset... Un carcan disparaît et cette liberté physique entraîne un début de liberté morale. Pour continuer à s'alléger du superflu, elles raccourcissent leurs robes et coupent leurs cheveux. La garçonne est née... Elle danse le charleston, pratique des sports, apprend à conduire. C'est le début des surprises-parties. Après les privations, tout le monde a besoin de s'amuser et les femmes, en occupant peu à peu des espaces jusqu'alors réservés aux hommes, se rapprochent, physiquement, de l'autre sexe... auquel il ne suffit plus d'apercevoir une cheville pour se pâmer. Malgré ce début de liberté sexuelle, le mariage reste l'aboutissement de toute vie de jeune fille, d'autant plus recherché que la guerre a décimé les hommes... On s'y prépare avec ferveur et abnégation, toujours dans un esprit de contrat : la femme s'engage à perpétuer avec de beaux enfants la dynastie familiale ; l'homme à lui apporter, dans la mesure de ses moyens, le confort matériel, les joies partagées de sa carrière et son mode d'existence. En échange, il continue de régner en maître absolu sur le foyer et cette situation semble contenter tout le monde, jusqu'au tournant de la Seconde Guerre mondiale.

L'APRÈS-GUERRE, COURRIER DU CŒUR ET PURITANISME

La création de certains magazines va, à partir de 1940, changer l'état d'esprit féminin, notamment *Confidences* et *Marie-Claire* qui publient le courrier de lectrices malheureuses. Les femmes commencent à prendre conscience de leurs chaînes, mais aussi de leurs désirs. Le flirt entre dans les mœurs et, au son de Glenn Miller, la Libération va permettre aux deux sexes de se rapprocher... Pas trop, cependant : la virginité reste indispensable au mariage. Et puis, par manque de contraceptifs, la crainte de tomber enceinte aide à demeurer chaste.

Les années de privations engendrées par les hostilités expliquent-elles le retour de la femme au foyer ? On se marie par amour et on veut y croire, même si l'envers du décor n'est pas toujours rose. Il est fortement conseillé de repeupler la France et, en dépit des zazous et des boîtes de nuit à Saint-Germain-des-Prés, le puritanisme sévit. *Bonjour Tristesse*, le roman de Françoise Sagan, provoque un tollé. Quant à Brigitte Bardot, sa liberté de pensée et de langage, les scandales qui entourent sa vie privée et l'image provocante de jeune femme libérée qu'elle véhicule au cinéma fascinent, peut-être, mais lui attirent l'opprobre général.

1968 : LES CORPS S'ENFLAMMENT

« Faites l'amour, pas la guerre », clament les étudiants qui, à Paris, prennent d'assaut la Sorbonne. La révolution gronde en France comme dans le monde entier. La relation homme-femme bascule. Les filles ne veulent plus ressembler à leurs mères. Elles brûlent leurs soutiens-gorge et revendiquent la liberté sexuelle que leur donne la pilule anticonceptionnelle. De plus en plus, elles investissent l'espace imparti à leurs compagnons. Les écoles se tournent vers la mixité, ce qui démystifie le sexe opposé. Tout devient plus naturel. On se plaît, on se le dit, on se le prouve en ayant une sexualité libérée.

La femme n'étouffe plus ses désirs. Elle les vit et se transforme en chasseresse. Draguer n'est plus l'apanage des hommes qui, face à cette nouvelle situation, sont déconcertés. Avec l'aide de ses lectures, des conversations entre amies, de la télévision et parfois de thérapies, elle découvre sa sexualité. Ne plus ignorer son plaisir est devenu un ordre. Il fait partie de l'amour et cette recherche multiplie les rencontres et les liaisons.

LES ANNÉES 70 ET 80 : JE T'AIME, MOI NON PLUS

Les mœurs changent mais la quête de l'amour demeure. La vente croissante de romans sentimentaux le prouve. Derrière la femme affranchie se cache une incorrigible midinette qui, même si elle travaille et réclame son indépendance, attend toujours le prince charmant. Son attitude a cependant réfrigéré les hommes qui, en voyant échapper la domination qu'ils exerçaient depuis des siècles,

• *1975 : loi permettant de divorcer par consentement mutuel, sans avoir à prouver la faute du conjoint. L'adultère n'est plus un délit. La femme n'est plus obligée de suivre son mari s'il change de résidence. Les deux époux décident ensemble de leur résidence. La mixité devient obligatoire dans l'ensemble de la scolarité.*

• *1977 : loi donnant davantage de droits aux concubins.*

En secouant le joug de la domination masculine, les féministes des années 70 remettent les pendules à l'heure... mais provoquent un séisme dans les relations hommes-femmes (Marche internationale des femmes, Paris, 1971).

*Le nouveau défi des années 90 :
vieillir ensemble. En 1970,
on comptait 10 % de divorces.
En 1980, 25 %. En 1995,
près de 50 %...*

ont perdu une part de leur masculinité. Certains osent afficher leur homosexualité, d'autres se retranchent dans un machisme qui leur attire de perpétuelles critiques. Face à cet ajustement d'une nouvelle relation, on a de part et d'autre peur de se marier. L'union libre devient à la mode. On s'aime pour un temps limité, on partage parfois le même toit et, lorsqu'on commence à s'ennuyer, on se sépare pour recommencer ailleurs d'autres expériences. L'amour ne rime plus avec toujours. On n'a plus le temps de le cultiver, encore moins celui d'en supporter les exigences.

Libéralisé en 1975, le divorce prend du galon. En 1970, on comptait 10 % de divorces. En 1975, il y en a 15 % et près de 25 % à la fin de la décennie… Jusque-là, des couples au bord de la rupture restaient ensemble pour sauvegarder les apparences. Il faut dire que certains régimes matrimoniaux, ordonnant le partage des biens

en cas de séparation, ne poussaient pas à se séparer. Le problème principal, pour la femme, est de pouvoir subsister, alors que 37 % seulement des femmes travaillent et que, en dehors de la pension que leur verserait leurs ex-maris, elles seraient sans ressources. Nombre d'entre elles se voyaient obligées d'accepter des conditions insupportables, notamment l'adultère de leur conjoint, moins critiqué que celui qu'elles auraient pu elles-mêmes commettre. Fortes de la nouvelle loi et d'une accession plus généralisée à une carrière professionnelle, les femmes des années 80 refusent de plus en plus de s'embarrasser d'un foyer qui ne signifie plus rien. C'est bientôt un mariage sur trois, puis près d'un mariage sur deux (48 % en 1995), qui se solde par un divorce. La durée des mariages explique ce désamour. Les femmes meurent plus rarement en couches, les médicaments enrayent les maladies autrefois mortelles, certaines épidémies disparaissent, il n'y a plus de guerre… ce qui entraîne moins de veuvages et une vie maritale plus longue. Puisqu'on ne peut plus se remarier, on se quitte pour tenter sa chance avec un nouveau partenaire, généralement plus jeune en ce qui concerne les hommes.

LES ANNÉES 90 : EN QUÊTE D'AMOUR

Chez les jeunes, le sida développe une nouvelle sexualité. On ne fait pas l'amour sans arrière-pensée. Si les filles n'ont plus peur d'être enceintes, elles et leurs partenaires redoutent une contamination. Les préservatifs deviennent à la fois une sauvegarde et une contrainte.

Le virus déclenchant, à juste titre, réserves et craintes et la prostitution

Les chiffres du divorce

Le divorce est institué en 1792 par la Commune, aboli en 1816 sous la monarchie de Louis XVIII, rétabli en 1884 pendant la présidence de Jules Grévy (loi Naquet) et enfin libéralisé en 1975 quand l'adultère n'est plus considéré comme un délit.
En 1960, on compte environ 32 000 divorces pour 320 000 mariages, soit 10 %. Vingt ans plus tard, en 1980, le nombre de mariages est constant mais le taux des divorces a déjà atteint 25 %. La barre de 40 % est franchie en 1986 avec 111 000 divorces pour 266 000 mariages et atteint dès 1995 un taux proche de 50 % : le nombre de mariages a chuté à 255 000 pour 124 000 divorces. Un couple sur deux se sépare.
Sources : *Constance et inconstance de la famille*, PUF (Cahier INED 134).

> • *23 décembre 1985 : égalité des époux dans les contrats matrimoniaux. Suppression de la notion de chef de famille. Les services fiscaux demandent à l'épouse sa signature sur la déclaration d'impôts du couple.*
>
> • *1990 : un arrêt de la Cour de cassation reconnaît le viol entre conjoints.*
>
> • *22 juillet 1992 : loi réprimant les violences conjugales. Un homme qui bat sa femme est passible d'une peine prononcée par le tribunal correctionnel.*

n'étant pas surveillée depuis la fermeture des maisons closes réclamée par Marthe Richard en 1946, l'amour à distance s'instaure. Conversations au téléphone ou sur minitel, sites sur Internet, les ondes et le câble amplifient les fantasmes. Des affiches fleurissent au fil des rues et, par l'intermédiaire d'une carte de crédit, proposent de connaître, grâce aux messageries roses, de torrides instants de « safe sex ».

Pour ceux et celles qui n'ont pas peur des vrais contacts, les journaux, depuis les feuilles de choux gratuites jusqu'au célèbre *Chasseur français*, alignent des annonces en tous genres. Il en est de même pour les clubs de rencontres qui déclinent échangisme, sadomasochisme ou liens plus sérieux. Les agences matrimoniales, plus que jamais, sont à la mode. Sans oser le dire à son entourage, on s'y inscrit en espérant trouver l'oiseau rare. Autant de trouvailles qui ne font hélas que pallier la solitude. En cette fin de siècle, les célibataires sont légion et deviennent l'une des cibles privilégiées de la société de consommation. La crainte de la femme devenue leur égale explique chez certains hommes une impossibilité à les approcher ; la déception après un mariage raté ou encore un besoin de liberté sont aussi les clés d'une situation mal

En dépit du sida et des multiples problèmes de communication entre hommes et femmes, comment ne pourrait-on pas croire à l'amour ?

La fin des années 90 marque le grand retour du romantisme. Dans la nouvelle génération, souvent issue de familles « recomposées », les rapports hommes-femmes semblent s'être pacifiés.

vécue pour beaucoup. L'humain rêve d'amour mais il est devenu incapable de le créer, encore moins de le perpétuer.

Non seulement l'homosexualité s'est étendue mais elle est autant revendiquée par les hommes que par les femmes. Les homosexuels cherchent entre eux et entre elles ce que le sexe opposé ne peut leur donner. Avec le support des médias et des gay-prides, ils se font entendre et revendiquent, au mieux le droit de se marier, au moins la reconnaissance officielle de leur concubinage.

UN SURSAUT DE ROMANTISME ?

Lassés de la pornographie et de l'amour par substitution, les hommes et les femmes vont-ils revenir à d'anciennes valeurs ? Tout le laisse croire. Si, à l'aube du XXIe siècle, le divorce est en sensible augmentation, le mariage l'est aussi : de 254 000 unions en 1994 (le chiffre le plus bas depuis 1960), on est remonté à 284 000 en 1997… Chez les jeunes élevés dans des familles « éclatées », on veut mener à bien ce que les parents ont raté. C'est l'ère des « bébés-couples ». Souvent très jeunes, ils commencent par vivre ensemble puis passent devant le maire (et parfois même le curé) pour se jurer fidélité. Chez eux, le rapport homme-femme semble s'être pacifié. Élevé par une mère émancipée, le garçon n'a plus peur de sa compagne et la fille n'a plus à revendiquer ce que la génération précédente a obtenu. Il en découle une relation où chacun et chacune accepte la part masculine ou féminine qu'il ou qu'elle possède. Réconciliation des sexes ? On aimerait que ce fût vrai… même si l'on compte encore trop de femmes bafouées ou battues.

2000 : LA PASSION N'EST PLUS AU RENDEZ-VOUS

Les couples sont-ils devenus sages, voire trop sages ? Où est la passion dont brûlaient autrefois les amoureux ? À l'aube du troisième millénaire, les portes ne claquent plus et, si l'on se sépare, on tente de le faire en douceur. Les formalités du divorce, déjà allégées, vont se simplifier à l'extrême. Parce qu'ils savent mieux s'écouter et se comprendre, l'homme et la femme tentent de ne pas se déclarer la guerre. Mais pour être amoureux fou ou vindicatif, il faut se heurter à des obstacles. Il n'y en a plus… Les adolescents se rencontrent sans se cacher, perdre sa virginité n'est plus une tare, la pilule ôte tout risque de grossesse, l'impuissance masculine pourrait être jugulée grâce à de nouveaux médicaments, on choisit ou non de se marier, les unions inter-raciales si décriées autrefois se nouent sans problème et l'homosexualité ne déclenche plus les foudres d'une société bien pensante. La passion demandait du temps, de l'investissement et la fatalité… Livres et films le démontrent : sur les écrans, *Titanic* provoque un engouement mondial. Les amours de Jack et de Rose bouleversent les hommes et les femmes de toutes générations. Regrettent-ils de ne pouvoir, eux aussi, s'oublier dans l'autre ? Si les hommes avouent regarder d'abord l'apparence physique des femmes puis leur regard et leur sourire, celles-ci privilégient l'intelligence, le charme et l'humour de leur partenaire. Une nouvelle entente est en train de se créer entre les deux sexes, faite de complémentarité acceptée, de mutuelle compréhension et de tendresse. N'est-ce pas cela l'amour ?

LA FEMME EN

1930

- *Prénoms :* Anne-Marie, Marianne, Hélène, Sabine.

- *Situation familiale :* mariée, au foyer.

- *Âge au premier mariage :* 23 ans.

- *Nombre d'enfants par femme :* 2,16.

- *Professions :* employée municipale, ouvrière, guichetière aux PTT et à la SNCF.

- *Lectures et magazines préférés : Autant en emporte le vent, La Mousson, Gilles, Terre des hommes.* Revues : *Vogue, Marie-Claire, Confidences.*

- *Films et feuilletons préférés : L'Ange bleu, Sous les toits de Paris, Les Lumières de la ville, Hôtel du Nord, Autant en emporte le vent, Les Hauts de Hurlevent, Le Magicien d'Oz.*

- *Chanteurs préférés :* Mireille, Jean Sablon, Tino Rossi, Charles Trenet, Ray Ventura et ses Collégiens, Berthe Sylva.

- *Chansons préférées : Parlez-moi d'amour, Y a d'la joie, Les Roses blanches, Couchés dans le foin.*

- *Sports et loisirs :* ski, claquettes, bains de mer et de soleil, concours d'élégance.

- *Alimentation :* régimes stricts.

- *Soins du corps :* cheveux ondulés, blond platine, rouleaux et teintures, maquillages de plus en plus élaborés (usage du « pan-cake » de Max Factor).

5

PARCE QUE LA BLANCHEUR PERSIL EST IMBATTABLE !

DONNER LA VIE L'ÉTERNELLE VOCATION

« LA FEMME MARIÉE PUISE LA SANTÉ, LA FRAÎCHEUR DANS LA CONCEPTION ;
ELLE S'EXEMPTE, EN FAISANT DES ENFANTS, D'UNE FOULE D'INFIRMITÉS
DONT EST PUNIE LA FEMME QUI ÉLUDE LE BUT DE LA NATURE. »
A. Debay, *Hygiène et physiologie du mariage.*

Qui aurait imaginé qu'au cours d'un seul petit siècle, le statut de mère connaîtrait une telle mutation ? Que sont devenues les mères au foyer qui consacraient la majeure partie de leur temps et de leur énergie au bien-être et à l'éducation de leurs enfants ? Le MLF est passé par là et, si donner la vie demeure l'aspiration suprême, la femme de l'an 2000 souhaite aussi se réaliser sur un plan personnel. Il n'est plus question d'abandonner des

études ou un métier pour veiller sur les chères têtes blondes. La femme veut être une mère accomplie et participer à la vie active de son époque. Pour en arriver là, il a fallu des découvertes scientifiques et médicales, des luttes sociales, un nouveau langage au sein du couple et la volonté féminine et féministe de réussir sur plusieurs fronts. Pari lancé, pari tenu : mariée, en concubinage, divorcée ou célibataire, la femme a fait de la maternité un choix... son choix.

DE LA HONTE D'ÊTRE FILLE-MÈRE À LA DÉCISION D'ÊTRE MÈRE CÉLIBATAIRE

Pour toute jeune fille, tomber enceinte avant le mariage s'apparentait à la plus épouvantable des hontes. Certaines étaient renvoyées de leur famille, d'autres reniées par le père présumé. Pour échapper à cette situation, le seul recours était l'avortement clandestin commis par des « faiseuses d'anges » ou des praticiens douteux dans des conditions d'hygiène sou-

- *1909 : loi instituant le congé de maternité de huit semaines (sans salaire mais sans rupture de contrat de travail).*

- *1910 : congé de maternité payé pour les institutrices, à la pointe des combats féministe et syndicaliste.*

- *1912 : loi autorisant la recherche de paternité dans certains cas.*

- *31 juillet 1920 : loi interdisant la propagande en faveur de l'avortement et de la contraception. Seul le préservatif masculin, destiné à protéger des maladies vénériennes, échappe à cette décision.*

- *1921 : invention par Kotex de la première serviette hygiénique.*

- *1928 : le congé de maternité rémunéré passe à deux mois dans la fonction publique.*

En 1900, la maternité n'est pas un choix mais le devoir des femmes « honnêtes ».

REPOPULATION

Allons mon Cher Ami, au labeur !
Ta femme a la clef de la serrure.

Et la pendule marque l'heure.
Des éclosions de la progéniture.

Jusque dans les années 60, la femme, privée de moyens de contraception efficaces, n'a d'autre recours que l'abstinence ou l'avortement clandestin pour éviter les grossesses à répétition.

vent déplorables. Celui qui le pratiquait aussi bien que celle qui le subissait étaient passibles de prison, mais, pire encore, nombre de jeunes femmes perdaient la vie à la suite de ces interventions clandestines.

L'épouse légitime risquait elle aussi de décéder lors de l'accouchement car, depuis l'aube de l'humanité, mettre un enfant au monde n'était pas sans risque. Jusqu'aux années 50, il était normal d'accoucher à domicile avec l'aide d'un médecin et d'une sage-femme. Seules les personnes sans ressources se rendaient dans les hôpitaux et les maternités. Face à un enfant qui se présentait mal, la médecine se voyait impuissante et nombre de pères se retrouvaient veufs. La vérité est là : non seulement la femme n'avait aucun moyen de contraception, mais en outre mettait-elle en péril son existence en donnant la vie.

Jusqu'aux années 60, les méthodes de contraception demeurent interdites. Après les guerres de 1914 et de 1939, repeupler le pays est devenu le mot d'ordre et, dans ce but, on brandit la morale ou la religion pour empêcher d'éviter ou de mettre un

terme aux grossesses. L'avenir de la femme ne dépend que de la bonne volonté de son partenaire qui accepte ou non de pratiquer le « coitus interruptus ». À partir de 1930, la méthode Ogino – abstinence entre le 11e et le 18e jour du cycle féminin – commence à être pratiquée, mais elle donne lieu à de nombreux échecs (jusqu'à près de 40 %). La méthode du contrôle des températures, à la fin des années 30, outre son aspect contraignant, connaît également un taux d'échecs élevé.

Avec la commercialisation de la pilule en 1967, la femme détient enfin le pouvoir de choisir. Finies les grossesses à la chaîne, les familles nombreuses et exigeantes, finie la honte des filles-mères bafouées ou montrées du doigt. Maternité rime maintenant avec liberté. On peut avoir un enfant en étant pleinement responsable de son acte et on peut, aussi, avoir un enfant seule... Depuis que les mœurs ont changé et qu'elles ne craignent plus l'opprobre général, certaines mères des années 70 souhaitent, en effet, garder le célibat et élever sans l'aide de leur compagnon l'enfant dont elle ont décidé la naissance. Personne n'aurait envisagé un tel changement, il y a une trentaine d'années... Les faits sont pourtant là : la femme a bousculé les tabous les plus enracinés pour vivre comme elle l'entend sa relation avec son fils ou sa fille.

UNE JOURNÉE PARTICULIÈRE

En 1973, les tests de grossesse sont vendus en pharmacie. Avec davantage de facilité et de rapidité que les tests en laboratoire, ils donnent une réponse sur une éventuelle gestation. La femme enceinte, tout au long du siècle ou du moins de la seconde moi-

Les différents moyens de contraception

1930 : mise au point de la méthode Ogino (pas de rapports sexuels entre le 11ᵉ et le 18ᵉ jour du cycle féminin).

1937 : prise de la température rectale qui doit être notée chaque matin. Elle augmente de quelques dixièmes à partir de l'ovulation.

1956 : invention de la pilule traditionnelle par les Américains Pincus et Rock.

1967 : la pilule est autorisée en France. Il s'agit d'un médicament hormonal qui bloque l'ovulation.

1982 : pilule du lendemain ou RU 486, mise au point par le docteur Baulieu. Prise dans les trois jours, elle permet d'éviter les conséquences d'un rapport mal protégé.

1983 : commercialisation de la pilule retard.

1998 : commercialisation de l'ordinateur Persona qui reprend et améliore la méthode Ogino (seulement 6 % d'échecs).

1999 : commercialisation en France de la pilule du lendemain.

- *1939 :* le Code de la famille fixe l'allocation de la mère au foyer à 10 % du salaire moyen départemental. Elle est versée jusqu'à ce que le dernier enfant ait 14 ans.

- *1945 :* loi instituant le congé de maternité (deux semaines avant, six semaines après). Il devient obligatoire et indemnisé de moitié.

- *1950 :* loi instaurant la fête des mères, « inventée » par Vichy durant la guerre.

- *1960 :* les mères célibataires peuvent bénéficier d'un livret de famille.

- *1964 :* fin du baby-boom.

- *1966 :* le congé de maternité passe à quatorze semaines.

- *1967 :* loi Neuwirth autorisant la contraception.

- *1970 :* possibilité pour la femme mariée de contester la paternité de l'époux et de reconnaître son enfant sous son nom de jeune fille. L'autorité paternelle est remplacée par l'autorité parentale. Néanmoins, sur les plans fiscal et administratif l'époux demeure le chef de famille.

---

tié, va bénéficier d'un nombre impressionnant de progrès médicaux. Au fil des années, la grossesse s'accompagne d'échographies et d'amniocentèses. La santé du fœtus est surveillée, la moindre anomalie détectée, le couple peut connaître le sexe du bébé. On n'accouche plus chez soi mais à l'hôpital, en maternité où règnent l'obstétrique, l'hygiène et où se trouvent des couveuses destinées aux enfants prématurés. À l'accouchement sans douleur introduit en France en 1952 par le docteur Lamaze, s'ajoute la péridurale (près de la moitié des parturientes y ont recours en 1997) qui insensibilise le bassin, pour que donner la vie ne soit plus synonyme de péril et de souffrance. La césarienne n'est plus seulement pratiquée en cas d'urgence mais dans l'intérêt de la mère et de l'enfant. Avec la mode

Tout au long de la seconde partie du siècle, les crèches et garderies se développent pour aider les jeunes mères qui travaillent. Mais au début des années 90, plus de 70% des enfants de 1 à 2 ans restent gardés par leur mère.

New Age des année 80, certains bébés naissent dans des piscines afin de s'habituer en douceur au monde dans lequel ils vont évoluer. Fait marquant et grande première, le « nouveau » père n'est plus condamné à faire les cent pas dans la salle d'attente. S'il le souhaite, il peut assister à la naissance de son enfant. La pression sociale aidant, il y est bientôt quasiment obligé, ce qui n'est parfois pas sans répercussions sur la vie sexuelle et le devenir du couple. Avec les années 90, on voit des jeunes mères interdire à nouveau la salle de travail à leur mari, pour préserver leur féminité.

QUAND LA SCIENCE TRIOMPHE DE LA NATURE

Si de nombreuses femmes se trouvent devant le choix d'accepter ou non leur grossesse, d'autres au contraire connaissent l'épreuve de la stérilité, la leur ou celle de leur conjoint. Dans ce domaine, la science du XXᵉ siècle a encore accompli des pas de géant puisqu'elle propose des solutions

pour tenter de vaincre ce qui, dans certains couples, est vécu comme un drame. Il n'est plus nécessaire de faire l'amour pour donner la vie. Grâce à la congélation du sperme d'un donneur anonyme, la fécondation artificielle devient possible. Dans le cas inverse, si la défaillance provient de la femme, on a recours à la fécondation in vitro (FIV). Mise au point par deux Anglais, les docteurs Edwards et Speptoe, le bébé est conçu en dehors du ventre de la mère puis replacé dans celui-ci. Le premier « bébé éprouvette » est une petite Anglaise, Louisa Brown, née le 25 juillet 1978. La première Française conçue grâce à cette technique, Amandine, est née le 24 février 1982. À partir des années 80, on parle de mères porteuses. Au mois d'octobre 1987, 66 enfants naissent en France dans ces conditions. Contre rémunération, des femmes prêtent leur ventre pour concevoir l'enfant d'une autre, jusqu'à ce que la loi du 29 juillet 1994 interdise cette pratique. Enfin, pour les couples qui, malgré ces méthodes, ne parviennent pas à devenir parents, il reste l'adoption, inscrite dans le Code civil, à condition d'être mariés depuis deux ans et d'avoir chacun plus de 28 ans.

PASSEPORT POUR LA MATERNITÉ

La mère rentre au foyer avec son bébé. Elle a déjà choisi si elle l'allaiterait ou non, avec une préférence pour l'une ou l'autre solution selon la mode du moment. Le père qui, jusqu'aux années 70, se serait à peine approché du berceau tant il aurait craint de perdre ses prérogatives masculines, va, comme sa femme, se préoccuper de plus en plus du sort de leur enfant. C'est la grande révolution de cette fin de siècle. Les

hommes changent les couches, donnent le biberon, poussent le landau et vivent leur paternité. Jusque là, la mère était la garante de l'éducation. Les enfants étaient confiés à sa vigilance et aux soins d'une nourrice. La majorité des femmes ne travaillait pas et le personnel de maison n'était pas réservé à la classe privilégiée. En attendant d'entrer à l'école primaire, les enfants étaient élevés dans le cocon familial. Ils ne voyaient leur père que lorsqu'il rentrait du bureau et celui-ci ne se préoccupait jamais d'un quelconque problème d'intendance. Même les études étaient supervisées par la mère. Par contre, il avait tous les pouvoirs en ce qui concerne les grandes décisions.

1968 change, une fois de plus, les choses. Les femmes demandent l'égalité et l'obtiennent... au prix, bien entendu, de sacrifices. Elles vont désormais vivre leur maternité sans annihiler leur propre destinée mais en confiant à l'extérieur leurs enfants. La société de consommation a ses exigences et, dans la plupart des couples, un salaire ne suffit plus pour subsister. Dès la fin de leur congé de maternité, elles reprennent le travail. La nourrice ayant disparu, parfois remplacée par une jeune fille au pair, les enfants vont très jeunes prendre le chemin des crèches qui se multiplient. Puis vient l'âge de l'école et les parents n'ont plus que les soirées et les congés scolaires pour veiller sur l'évolution de leurs enfants. Commence alors une éducation fragmentée avec certaines dérives qu'entretiennent les conseils du docteur Spock, dans les années 70, qui prônent une incroyable permissivité et transforment les enfants en petits adultes auxquels on demande conseil et approbation. Liberté ne signifie

• **1971** : *congé de maternité remboursé à 90 %. Manifeste signé par 343 femmes en faveur de l'avortement et publié dans* Le Nouvel Observateur.

• **1973** : *la mère peut, comme le père, transmettre sa nationalité à son enfant.*

• **1974** : *remboursement des frais relatifs à la contraception (article 7). Les mineures n'ont plus besoin d'une autorisation parentale pour se faire délivrer la pilule.*

• **1975** : *loi Veil autorisant l'interruption volontaire de grossesse (IVG). Elle sera définitive en 1979.*

• **1980** : *interdiction de licencier une femme enceinte. Le congé de maternité passe à seize semaines.*

• **31 décembre 1982** : *loi permettant le remboursement de l'interruption volontaire de grossesse.*

• **22 décembre 1984** : *loi Roudy autorisant le recouvrement des pensions alimentaires impayées par les organismes débiteurs des prestations familiales. Égalité des époux dans les régimes matrimoniaux et pour l'administration des biens des enfants.*

• **1985** : *loi renforçant l'égalité des époux dans la gestion des biens des enfants et des biens communautaires. L'enfant peut choisir d'accoler au nom de famille celui de la mère.*

• **1991** : *la publicité pour les préservatifs est acceptée (le sida en est essentiellement la raison).*

• **1998** : *exercice conjoint de l'autorité parentale à l'égard de tous les enfants, quelle que soit la situation des parents.*

En 1975, la loi Veil sur l'avortement contribuera à éviter bien des drames. Parallèlement, la relation mère-enfant fait l'objet de nombreuses études psychologiques.

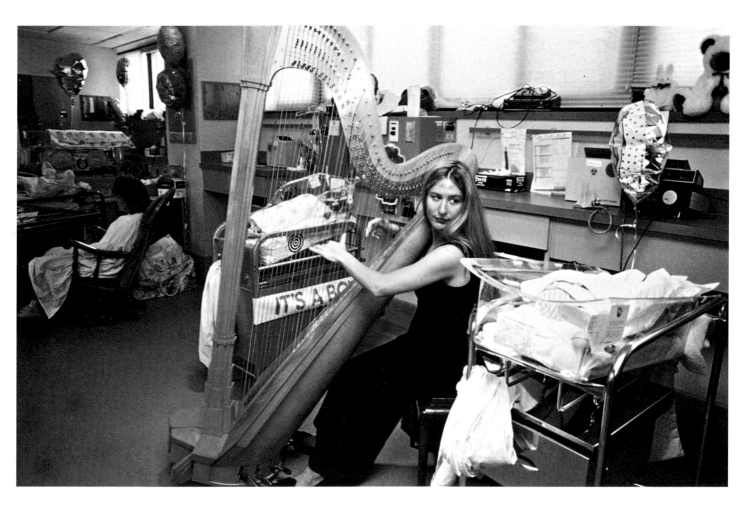

pas anarchie. La célèbre psychanalyste Françoise Dolto remettra heureusement de l'ordre dans l'approche
psychologique des enfants que l'on
essaie d'élever avec davantage de compréhension et d'intelligence.

LA FAMILLE RÉCOMPOSÉE

Le divorce, en incessante augmentation, change aussi les données de la
maternité. La dissolution des unions
a longtemps engendré des situations
difficiles. Pour se séparer, il fallait
fournir au tribunal des preuves qui
souvent poussaient les couples à se
haïr. Il en résultait des situations
insupportables à vivre pour les
enfants. Les nouvelles lois ayant rendu
plus souple et moins culpabilisante
la procédure de divorce, le chantage

à propos des enfants tend à s'amoin-
drir... d'autant que les pères voient
leur droit de visite et de garde s'élargir. Il n'est plus rare que soit décidée
la garde conjointe, ce qui auparavant
n'était guère imaginable.

Se remarier n'est pas un vain mot. Les
mères deviennent les belles-mères des
enfants de leur second conjoint ou
concubin. Idem pour les hommes qui
accueillent leurs beaux-enfants. À
l'approche de l'an 2000, la famille a
changé de visage. Elle s'est recom-
posée et souvent élargie. Chacun
tente d'y développer sa personnalité
et d'y instaurer une cohabitation pacifique. Si les choses se passent bien,
les liens du sang se transforment en
liens du cœur. Un nouveau paysage
s'impose mais, envers et contre tout et
tous, la mère et son enfant continuent
de fondre leur histoire personnelle
dans celle de l'humanité.

1940

• *Prénoms :* Maryse, Françoise, Nathalie, Chantal.

• *Situation familiale :* nombreux foyers dispersés (pertes militaires et civiles, déportation).

• *Âge au premier mariage :* 24 ans.

• *Nombre d'enfants par femme :* 2,11.

• *Professions :* vendeuse, coiffeuse, secrétaire.

• *Lectures et magazines préférés : Rebecca, Les Thibault, Le Petit Prince.* Revues : *Harper's Bazaar, Marie-France, Point de Vue, Elle.*

• *Films et feuilletons préférés : Casablanca, Les Chaussons rouges, Quai des Orfèvres, La Belle et la Bête.*

• *Chanteurs préférés :* Juliette Gréco, Luis Mariano, Tino Rossi, Henri Salvador, Yves Montand, Line Renaud.

• *Chansons préférées : La Belle de Cadix, Si tu t'imagines, Ma cabane au Canada, L'Hymne à l'amour.*

• *Sports et loisirs :* marche à pied, gymnastique, bicyclette.

• *Alimentation :* rutabagas et autres féculents pendant les années de privations.

• *Soins du corps :* coiffure à la Veronica Lake, turbans, sourcils très épilés, eye-liner, apparition des déodorants, teinture des jambes pour simuler des bas pendant l'Occupation.

CHOCOLAT GUÉRIN-BOUTRON

LES INSTRUMENTS DE TRAVAIL   La Machine
84 sujets variés   à coudre

LA FÉE DU LOGIS

« ARTS MÉNAGERS : ENSEMBLE DES CONNAISSANCES QUI PERMETTENT
DE TENIR CONVENABLEMENT LE MÉNAGE. »
Larousse

Dans beaucoup de foyers, particulièrement dans les campagnes ou les zones défavorisées, l'habitat ne change qu'après la Seconde Guerre mondiale. Jusque-là, l'eau courante, le gaz ou l'électricité ne sont pas à la portée de tous et de toutes, ce qui entraîne pour la maîtresse de maison un nombre écrasant d'heures consacrées au ménage et au bien-être de la famille. Privée des agréments que nous connaissons actuellement, la femme, au début du siècle, doit se démener tant bien que mal avec les outils mis à sa disposition. Le chauffage central n'existant pas, il lui faut allumer et entretenir le feu dans la cheminée ou le poêle, laver au savon noir son logement, nettoyer les vitres avec du papier journal, se rendre au lavoir du village pour y accomplir les lessives, porter l'eau jusqu'aux commodités, sans compter le temps passé à la cuisine où n'existe aucun appareil susceptible de la soulager dans son ouvrage. Pour beaucoup, le foyer signifie au mieux une vocation, au pire un esclavage...

À l'inverse de ce sombre tableau, il est coutumier de faire appel à des serviteurs dans les milieux bourgeois et aristocratiques. Cela peut aller d'une simple aide ménagère jusqu'à une nombreuse domesticité qui se décline du chauffeur au valet de chambre en passant par la nurse, le jardinier et la cuisinière. À cette époque les « gens de maison » ne sont pas rares. Ils restent longtemps chez le même employeur et font partie du panorama familial. Leurs gages ne sont guère élevés mais ils bénéficient du gîte et du couvert. La plupart des romans ou des pièces de théâtre de cette époque montrent l'importance de la nounou qui a élevé les enfants ou du maître d'hôtel qui connaît tout de la vie de ses employeurs.

UN PETIT COIN DE PARADIS

La femme d'intérieur a peu de loisirs mais tout de même ! Quand elle a fini de ravauder les bas, coudre les vêtements des enfants, repriser le linge, elle s'adonne à la lecture des maga-

---

• **18 octobre/8 novembre 1923 :** ouverture, sur l'esplanade du Champ-de-Mars à Paris, du Salon des Appareils ménagers.

– **1925 :** il devient le Salon des Arts ménagers.
– **1926 :** il se tient au Grand Palais, à Paris.
– **1961 :** il déménage au CNIT, à la Défense.
– **Depuis 1964,** le salon n'est plus ouvert au public mais seulement aux professionnels.

Visiteurs : 1923 : 85 000 ;
1934 : 608 646 ; **1956 :** 1 402 299.

• **Quelques inventions**

1906 : premier aspirateur fabriqué à Paris (type Birum). Le thermos.
1913 : premier réfrigérateur ménager aux USA.
1916 : premiers plats en Pyrex.
1917 : fer à repasser électrique.
1919 : création de la marque Frigidaire.
1921 : premiers couteaux en Inox aux USA.
1931 : presse-purée Moulinex.
1936 : trombe d'eau dans les toilettes.
1941 : première bombe insecticide à usage domestique : Goodhue et Sullivan.
1945 : commercialisation en France du mixeur par Kenwood. Boîtes Tupperware.

zines. Au fil du siècle, elle découvre *Modes et Travaux, Le Petit Écho de la Mode*, puis *Marie-Claire, Intimité, Bonne Soirée*, où elle glane des conseils pratiques mais aussi la part de rêve dont elle a besoin pour s'évader de son quotidien, notamment grâce aux romans-photos. Ils précéderont les feuilletons télévisés qui, à partir des années 60, feront vibrer la « femme d'intérieur » pour *Janique Aimée, Les Gens de Mogador, Dallas* ou *Dynasty*. En attendant que le petit écran fasse son entrée dans les foyers, la radio lui tient compagnie, relayée plus tard par le transistor. C'est une nouveauté que de pouvoir écouter, en travaillant au bien-être des siens, les chansons à la mode, la famille Duraton ou les vertus de tel ou tel produit d'entretien censé l'aider dans ses tâches ménagères.

PETITES FEMMES MODÈLES

L'industrie, dès l'entre-deux-guerres, n'a pas été longue à comprendre que le marché des fées du logis était porteur. Au fil du siècle, l'aspirateur remplace le balai, la machine à laver fait oublier les lessiveuses, le fer à repasser s'électrifie, les robots ménagers se déclinent sur une gamme de plus en plus variée, le garde-manger ou la glacière cèdent leur place au Frigidaire, le premier des réfrigérateurs. Et ce n'est pas tout ! Les matériaux changent. La femme d'intérieur règne sur une cuisine dont les meubles en Formica offrent une surface facile à nettoyer. Les fibres synthétiques font, à leur tour, une apparition remarquée : Nylon, Dralon, Lycra, les vêtements sont plus faciles à laver et ne nécessitent pas d'empesage.

Dans les années 50, on assiste à un incroyable changement. Les femmes, qui dorénavant votent et ont acquis, par le biais du législateur, certains droits, au sein de leur couple, préfèrent le foyer au travail à l'extérieur. Dans le domaine de l'activité professionnelle, on constate une nette régression. Le sexe faible ne revendique plus son indépendance mais place son accomplissement personnel au sein de la cellule familiale. Après avoir manqué de tout pendant la guerre et au-delà (les cartes de pain ne sont supprimées qu'en 1949), on a besoin de recréer un havre de paix. C'est l'avènement de la femme au foyer qui, sourire aux lèvres et plumeau magique à la main, se veut irréprochable aux yeux des siens et du voisinage. La romancière Berthe Bernage l'encourage en écrivant à son intention les fameux *Brigitte*, modèle entre tous de la parfaite femme d'intérieur. Une publicité proclame : « Pour plaire à votre mari, il faut passer plusieurs heures par jour à la cuisine. » Mitonnant des petits plats et des confitures, tricotant, confectionnant rideaux et abat-jour, elle est heureuse de posséder les dernières inventions et par là même, de supplanter par la modernité le savoir-

faire de l'omniprésente belle-mère toujours là pour recommander ou critiquer. En cas de doute, le Salon des Arts ménagers est là pour la conseiller. Son idéal : être une épouse parfaite, bien élever les enfants et, si elle est croyante, obéir aux préceptes du pape qui lui conseille de se fondre dans le modèle bourgeois et les valeurs que celui-ci véhicule. Une femme à la maison est une garantie de respectabilité. On plaint celles qui, hélas, ne peuvent faire autrement que de courir à l'extérieur afin de gagner de quoi subsister.

CENDRILLON ?
PLUS JAMAIS !

En 1968, les filles rejettent le credo ménager de leurs mères. Les abandonnant à des activités qu'elles jugent sirupeuses, elles étudient et se lancent dans le monde professionnel afin de ne pas leur ressembler. Tournant le dos à la société de consommation, elles recherchent l'essentiel, notamment auprès de gourous orientaux

qui dénoncent la servitude aux biens matériels. Mais attention : si on parle de retour à la nature, on ne veut tout de même pas se priver des progrès de la civilisation. On fabrique son pain comme autrefois, mais on possède une cuisine ultra-perfectionnée. Le paradoxe est là ! Si les fabricants continuent de vanter leurs marchandises, la télévision en couleur et la publicité les aident dans leur mission en incitant les spectatrices et consommatrices à modifier régulièrement leurs goûts. C'est l'avènement du crédit. Pour avoir accès aux dernières inventions, on s'endette...

LES PAPAS POULES

À partir de 1975, le gain de temps devient la priorité car la femme « du dedans » abandonne du terrain à la « femme du dehors ». Travailler (même pour gagner peu) est préférable à rester chez soi. Dès l'école, les petites filles songent déjà au métier qu'elles vont faire, une attitude normale puisqu'elles suivent l'exemple de leurs mères qui se sont lancées dans la vie active. Le phénomène est néanmoins plus marqué dans les villes et, face à cette nouvelle situation, les hommes se résignent à partager les tâches ménagères. Il n'est plus rare de les voir pousser un caddie dans une grande surface, surveiller les devoirs des enfants, faire la vaisselle ou préparer les repas. Il en résulte des couples où les rôles sont interchangeables. Les enfants s'y sont habitués d'autant que l'accroissement du chômage oblige certains pères à rester à la maison alors que les mères retrouvent chaque matin leur emploi. Elles rentrent, le soir, pour ouvrir les boîtes de conserve ou les surgelés qui occupent une place de plus en plus importante dans les magasins d'ali-

1948 : cocotte-minute SEB (vendue à partir de 1953).
1949 : premier réchaud à gaz.
1952 : lave-linge moderne.
1956 : poêle Tefal.
1959 : premier Babyliss pour détendre ou boucler les cheveux.
1961 : première brosse à dents électrique (Squibb). Le Robot-Marie.
1967 : premier modèle individuel de four à micro-ondes.
1974 : plats cuisinés sous vide.
1975 : commercialisation du robot Magimix.

• ***Magazines féminins***

1901 : Fémina. *Bimensuel. Parution jusqu'en 1937.*
1919 : Modes et Travaux.
1921 : Vogue.
1937 : Marie-Claire.
1938 : Confidences.
1944 : Marie-France.
1945 : Point de Vue, Elle.
1947 : Nous Deux, Intimité, Bonne Soirée.
1973 : Cosmopolitan.
1980 : Madame Figaro.
1982 : Prima.
1984 : Femme, Femme Actuelle.
1987 : Joyce.
1993 : Gala.
1998 : Oh la !, Allo !

à droite et à gauche... et pourtant, la femme de l'an 2000 court à perdre haleine. Prise entre son besoin de bien faire et sa culpabilité de ne pas faire assez, elle joue les acrobates entre ses devoirs d'épouse, de mère, de maîtresse de maison et sa vie professionnelle. Quant à celles qui ont choisi de demeurer chez elles et de bénéficier des allocations familiales en élevant plusieurs enfants, il leur arrive de regretter une vie plus tumultueuse. Leur assiduité à suivre les programmes télévisés font de ces « ménagères de moins de 50 ans » la cible privilégiée des chaînes de télévision. Au fil des années, l'engouement pour les feuilletons matinaux et de la mi-journée ne s'est pas amoindri, même si le ton a changé ; grâce à *Amour, gloire et beauté* ou *Les Feux de l'Amour*, elles n'ignorent rien des crises du couple, des adultères et des divorces.

L'APPEL DU COCOONING

Avec la fin du siècle vient l'ère du cocooning. Célibataire ou en couple, on apprécie de rester chez soi et une bonne part des dépenses sert à améliorer son habitat. Est-ce une recherche de protection contre une société agressive et des enjeux qui épuisent l'énergie, est-ce une façon de se ressourcer, de préserver son intimité ? Toujours est-il que le foyer prend des allures de nirvana pour celles que le chômage n'y enferme pas. Le problème se pose, en effet, en ces termes : de nombreuses femmes, privées de métier et de salaire, se trouvent dans l'obligation de demeurer au foyer alors que d'autres, surchargées de responsabilités et de tâches, n'aspireraient qu'à y séjourner davantage. À l'aube de l'an 2000, la fée du logis est fatiguée...

Le partage des tâches, au sein des ménages, est souvent devenu la règle en cette fin de siècle. La « fée du logis » est-elle une nouvelle Arlésienne?

mentation. Fatiguées, elles tentent néanmoins de veiller à l'éducation de leur progéniture à laquelle s'ajoute parfois celle d'un précédent mariage. Pour les tâches purement ménagères, elles parent au plus pressé. En réalité, elles ont deux métiers : l'un rémunéré et l'autre pas.

DE LA HAUTE VOLTIGE À LA FLEUR BLEUE

À l'approche du troisième millénaire, la fée du logis a perdu de son lustre. La vie s'est à la fois simplifiée et compliquée : simplifiée par les incessantes trouvailles de l'électroménager, les commandes par courrier, Minitel ou téléphone, les livraisons à domicile. Avec l'ordinateur, le fax, Internet, les cartes de crédit, plus besoin de courir

LA FEMME EN
1950

- *Prénoms :* Carole, Christine, Isabelle, Catherine.

- *Situation familiale :* la femme modèle reste au foyer.

- *Âge au premier mariage :* 23 ans.

- *Nombre d'enfants par femme :* 2,7.

- *Professions :* infirmière, esthéticienne, secrétaire, comptable, puéricultrice.

- *Lectures et magazines préférés : Caroline chérie, Angélique, Bonjour tristesse, Les Semailles et les Moissons, Le Château de ma mère.* Revues : *Nous Deux, Intimité, Bonne Soirée.*

- *Films et feuilletons préférés : Chantons sous la pluie, La Fureur de vivre, Et Dieu créa la femme, Ben Hur, Casque d'or, Sissi.*

- *Chanteurs préférés :* Georges Brassens, Les Frères Jacques, Georges Guétary, Dalida, Édith Piaf, Bourvil, Gilbert Bécaud, Charles Aznavour.

- *Chansons préférées : Bambino, Milord, C'est la vie de bohème, Scoubidou, Mexico.*

- *Sports et loisirs :* danse, bowling, cinéma, radio et télévision.

- *Alimentation :* plats mijotés à la maison.

- *Soins du corps :* mèches colorées, postiches, mises en plis avec de gros rouleaux, apparition des laques pour cheveux, shampooings colorants, lotions pour le corps, sourcils très épilés.

7

FEMMES : LES ENJEUX DU POUVOIR

« LA FEMME SERA VRAIMENT L'ÉGALE DE L'HOMME LE JOUR OÙ, À UN POSTE IMPORTANT, ON DÉSIGNERA UNE FEMME INCOMPÉTENTE. »
Françoise Giroud

Les femmes du début de ce siècle travaillent beaucoup et longtemps. Elles entrent très jeunes dans la vie active, surtout dans les campagnes, où on va « se louer » les jours de marché : à l'époque, pour trouver du travail, on se rend au village et on propose ses services à d'éventuels employeurs, venus tout exprès, eux aussi, pour trouver du personnel. Le

marché fonctionne selon la loi de l'offre et de la demande, sans aucun contrat écrit, l'analphabétisme étant, de part et d'autre, très fréquent. Après s'être mis d'accord, on « tope» d'une poignée de main. Il n'est pas rare de croiser sur ce marché de l'emploi des fillettes de 12 ou 14 ans, que leurs parents envoient chercher une place de bonne à tout faire ou de fille de ferme. La gamine est engagée à plusieurs kilomètres de son foyer, où elle ne revient que de temps en temps, le dimanche, pour embrasser sa mère et l'accompagner à la messe. Les journées de travail sont toujours très longues. Le salaire est souvent misérable. Si la jeune femme est « logée, nourrie, blanchie », c'est la plupart du temps de manière très sommaire. Les abus sont monnaie courante : on s'estime heureuse quand les patrons n'ont pas la main trop leste et qu'aucun des hommes de la maison ne tente d'exercer un droit de cuissage. En ville, la situation des travailleuses est un peu plus enviable, en tout cas physiquement et psychologiquement moins dure. Le commerce, les

• **1er décembre 1900** : *les licenciées en droit peuvent enfin exercer la profession d'avocat.*

• **1906** : *l'École des chartes est ouverte aux femmes.*

• **1907** : *les femmes peuvent voter et être élues aux conseils de prud'hommes.*
La loi autorise désormais les femmes mariées à gérer les produits de leur travail et leurs économies (sans distinction de régime matrimonial).

• **1918** : *l'École centrale est ouverte aux femmes.*

• **1919** : *création d'un baccalauréat exclusivement féminin. Création de l'agrégation féminine de philosophie. L'École supérieure de chimie de Paris et l'École supérieure d'électricité accueillent des femmes. Le poste de rédacteur au ministère du Commerce est ouvert aux femmes.*

Domestiques ou paysannes : au début du siècle, la servitude est le lot des femmes issues des milieux modestes.

banques, les compagnies de transport et certaines administrations sont ouverts aux femmes. Bien entendu, pour y entrer, il faut montrer patte blanche, avoir des références et des relations, quand l'embauche n'est pas purement et simplement une affaire de famille. Par ailleurs, beaucoup de femmes travaillent à domicile, notamment dans la couture, le blanchissage et le repassage, ou se louent comme nourrices. Dans les couches sociales les plus aisées, on ne travaille pas : on se consacre aux œuvres charitables et on tient sa maison.

En 1900, environ sept millions de femmes travaillent, soit 36 % de la population féminine totale, et près de la moitié d'entre elles sont des paysannes.

Elles sont aujourd'hui plus de onze millions à travailler, sur une population féminine globale de 30 millions.

DE LA PÉTROLEUSE À L'ANGE SALVATEUR

La Grande Guerre va quelque peu modifier ces données. Leurs hommes

• **1920** : *les femmes mariées ont le droit d'adhérer à un syndicat sans l'autorisation du conjoint.*

• **1924** : *les programmes d'études sont désormais identiques, dans le secondaire, pour les filles et les garçons. Le bac masculin et le bac féminin sont théoriquement équivalents. Marie-Louise Paris fonde l'École polytechnique féminine.*

• **1927** : *égalité de salaire entre hommes et femmes au sein du corps enseignant, à condition de posséder les mêmes diplômes.*

• **9 décembre 1931** : *les femmes peuvent être juges.*

• **1937** : *les femmes peuvent enseigner le latin, le grec et la philosophie.*

• **1938** : *les femmes mariées ont la possibilité de s'inscrire à l'université sans l'autorisation du conjoint.*

• **1944** : *création de l'ENA, institution mixte.*

• **1959** : *l'École des ponts et chaussées est ouverte aux femmes.*

Page de gauche : En haut, *Melle Bloch, première candidate à Polytechnique, vers 1900.* En bas, *pendant la Première Guerre mondiale, une femme conductrice de tramway.*

Ci-dessus : *Melle Rouvières, première femme reçue à Normale Supérieure, rue d'Ulm.*

partis se battre ont laissé vacantes des places que les femmes peuvent, pour la première fois, investir. On trouve ainsi des poinçonneuses dans le métro, des conductrices de bus, de train ou de tramway, des factrices, etc. Les usines de guerre leur ouvrent également leurs portes, bien que la préférence soit d'abord donnée aux hommes restés à l'arrière, aux 500 000 ouvriers mobilisés qui ont été rappelés à cet effet, et à la main-d'œuvre masculine étrangère et coloniale. La présence de femmes à des postes d'hommes est une innovation et un progrès réel, mais demeure limitée en nombre : dans les domaines de l'industrie et du commerce, 32 % de la main-d'œuvre avant-guerre était féminine, contre seulement 40 % fin 1917.

Les mentalités ont beaucoup de mal à évoluer, et l'on ne considère généralement pas d'un bon œil les donzelles aux allures de garçon. Les hommes redoutent l'émancipation de leurs compagnes, les velléités de pouvoir dont elles pourraient faire preuve, la redistribution des rôles traditionnels. Les plus virulents n'hési-tent pas à frapper bas et à proférer des discours d'insultes : si ces femmes ne sont pas des vicieuses prêtes à tromper leurs époux en train de ramper dans les tranchées, ce sont certainement des lesbiennes ou des dévergondées. Les plus modérés se rallient à l'opinion générale : les ouvrières de l'industrie de guerre sont des profiteuses et des incompétentes qui gagnent de l'argent sur le dos des absents. Propos injustes mais d'autant plus répandus que le salaire des ouvrières de guerre est plus élevé que la moyenne. Les chantres de la misogynie et les bien-pensants en rajoutent tant qu'ils peuvent, glosant sur les payes « mirobolantes » de ces femmes et sur leurs dépenses inconsidérées : on s'indigne lorsqu'elles s'achètent des bas de soie ou des oranges... Mais la manne financière en question est loin d'être générale et on évite de s'étendre sur les conditions de travail souvent très pénibles. Les cadences sont infernales, les accidents et les maladies professionnelles (telles que l'empoisonnement au TNT) font de nombreuses victimes, bien que ce problème soit soigneu-

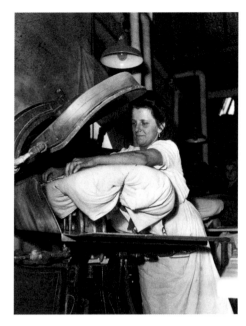

« Munitionnettes » et autres ouvrières participent à l'effort de guerre, dans les poudreries ou les blanchisseries de l'armée. Dès 1918, on priera ces dames de rentrer au foyer pour laisser la place aux hommes.

sement occulté. À la campagne, les paysannes souffrent plus que jamais, remplaçant à la fois les hommes et les bêtes de somme, elles aussi réquisitionnées (les chevaux de labour, notamment, seront décimés par la Grande Guerre).

À ces esclaves silencieuses, on préfère l'image archétypique de la femme maternante, attachée à l'homme jusque dans l'horreur guerrière : l'infirmière ou la marraine de guerre. Elles viennent surtout des classes aisées et l'activité intense qu'elles doivent déployer les conduit souvent à élargir leur horizon social et politique : elles découvrent toutes les souf-

frances, sans distinction de race, de sexe ou de richesse. Comme d'autres parmi les plus favorisées, elles prennent soudain conscience de leurs facultés intellectuelles et d'indépendance. Il est permis à ces Françaises bien nées de prétendre à plus de libertés. Les professions supérieures s'ouvrent à elles : elles peuvent devenir médecin, avocate ou ingénieur. Les grandes écoles les accueillent désormais, l'enseignement leur est proposé comme une voie royale. Dans les petites bourgades, certaines institutrices peuvent même accéder au conseil municipal.

À la fin de la guerre se dessine une double tendance de la pensée sociale concernant les femmes : d'une part, le rejet du travail féminin en général et de l'ouvrière en particulier ; d'autre part, une ouverture relative concernant des professions libérales ou intellectuelles, auxquelles peuvent prétendre quelques privilégiées.

ÉLOGE DES PÉNATES

En 1918, on enjoint ces demoiselles de reprendre la place qui n'aurait jamais dû cesser d'être la leur. Les

Le plus beau métier du monde

Le corps enseignant a été l'un des premiers organismes professionnels à s'ouvrir largement aux femmes et à appliquer l'égalité salariale entre les deux sexes. Durant la Grande Guerre, des institutrices remplacent dans les salles de classe mais également dans les conseils municipaux leurs collègues masculins massivement mobilisés : le professeur est alors une personnalité incontournable, l'arbitre des questions délicates concernant ses concitoyens, celui – ou celle – qui détient la sagesse et le savoir de la République. Enseigner est une vocation laïque que nul ne prend à la légère. L'école forge l'identité française et inculque l'amour de la patrie : l'institutrice en est une figure essentielle, à la fois mère et éducatrice. Dans les manuels d'instruction civique et morale, il est clairement stipulé qu'on lui doit « respect et reconnaissance ». Au fil des ans, ce postulat n'est pas démenti : le secteur se féminise de plus en plus, les femmes ont accès aux matières autrefois réservées aux hommes, telles que la philosophie ou les langues anciennes. À la veille de la Seconde Guerre mondiale, elles ne sont plus seulement les spécialistes des « sciences ménagères » mais des intellectuelles reconnues comme telles par leurs pairs. Le milieu de l'Université est conquis peu à peu, même si les « maîtresses de conférence » restent, aujourd'hui encore, très minoritaires par rapport à leurs confrères. En douceur, les enseignantes ont mené à bien leur combat pour la parité, venant progressivement à bout des résistances masculines dont les zélateurs apprenaient encore à nos grands-parents : « Aimez votre condition, il est rare que l'on gagne au changement »[1].

1. Delapierre, De Lamarche, *Exercices de mémoire*. Cours moyen. Rocherolles 1913. In *Mémoire d'école*, de Marie et Jacques Gimard, Le Pré aux Clercs, 1997.

- *1965* : un mari ne peut plus empêcher sa femme d'exercer une activité professionnelle.

- *1970* : l'École polytechnique est mixte.

- *1972* : l'École de la marine marchande, l'ESSEC et HEC accueillent des femmes.

- *1975* : une loi interdit la discrimination sexuelle à l'embauche, « sauf motif légitime ». La différence de salaire entre hommes et femmes pour un même poste est interdite dans la fonction publique. Année internationale de la Femme.

- *1978* : l'École de l'air est mixte.

- *1979* : dans l'industrie, il est désormais interdit aux femmes occupant des postes de direction ou des postes techniques à responsabilité de travailler de nuit.

- *1980* : il est interdit de licencier une femme enceinte. Création du statut de conjoint collaborateur pour les femmes travaillant avec leur compagnon artisan ou commerçant. Les femmes d'agriculteurs ont droit à un congé maternité.

- *10 juillet 1982* : les femmes d'artisans ou de commerçants peuvent choisir leur statut : chef d'entreprise, associée, collaboratrice ou salariée du conjoint.

- *29 décembre 1982* : la notion de chef de famille est fiscalement obsolète. La signature des deux conjoints est obligatoire pour valider la déclaration des revenus.

---

licenciements féminins sont brutaux et massifs. La ménagère est idéalisée. Le féminisme, très critiqué, pâtit grandement de ce choc en retour et essuie une crise sérieuse qui durera presque une cinquantaine d'années... L'immédiat après-guerre est marqué par la reprise du travail des hommes et le retour de beaucoup de femmes à la terre et aux travaux des champs, débauchées des usines d'armement. Apparemment, pas grand-chose n'a changé. On constate cependant que les femmes hésitent désormais à s'engager comme domestiques et qu'elles travaillent moins à domicile. Leurs intérêts se portent ailleurs, vers le tertiaire, qui recrute un grand nombre de travailleuses : en 1931, plus de 22 % des salariées sont employées de bureau. L'idéal de la femme au foyer est largement prégnant, véhiculé et désiré par les principales concernées elles-mêmes, mais deux mères de famille sur trois sont obligées de travailler pour compenser les salaires trop bas de leurs maris.

Les Années folles ne le sont que pour

*1937 : pour être secrétaire,
il faut taper vite et en rythme !*

laisser l'homme parler. Et décider. Le droit des femmes à la parole, en matière politique, est bien loin d'être acquis.

On lui accordera cependant, le 18 février 1938, la possibilité d'être autonome au sein du foyer et de la société : l'incapacité civile de la femme mariée est abolie. Mais peu de femmes profitent de cette liberté conditionnelle : l'information sur le sujet ne circule pas dans toutes les couches sociales et beaucoup, lorsqu'elles ont enfin connaissance de cette disposition, craignent trop leurs époux pour avoir l'audace d'en profiter. Elles ont en outre d'autres sujets d'inquiétude. Le coût de la vie augmente mais les salaires stagnent. Des grèves éclatent dans tout le pays. En 1936, les accords de Matignon, qui instaurent notamment la semaine de 40 heures et les premiers congés payés, favorisent également l'emploi des femmes. Le patronat s'engouffre dans ce qui apparaît comme une faille : en privilégiant l'embauche des travailleuses plutôt que celle des hommes, il peut exercer une pression permettant de baisser l'ensemble des salaires. Dont acte. Beaucoup de femmes sont sous-payées ou travaillent au noir. Les conditions de vie ne s'améliorent pour personne. C'est dans ce contexte qu'éclate un nouveau conflit.

LES FEMMES DE L'OMBRE

La « drôle de guerre » mobilise presque tous les hommes valides. Trop peu de femmes peuvent les remplacer dans les ateliers et les usines privés de main-d'œuvre. Les effectifs de la métallurgie chutent de manière catastrophique alors qu'il n'y a pas assez de fusils pour l'ensemble des

celles qui en ont les moyens. Cette prise de conscience induit une politisation croissante des femmes. Le féminisme n'est pas considéré par la majorité d'entre elles comme une priorité, mais le syndicalisme les mobilise au quotidien sur des sujets immédiats. Très progressivement, les femmes commencent à lutter pour leurs droits de travailleuses. En 1900, les syndicats français comptaient 39 000 adhérentes ; en 1920, elles sont 239 000. Elles sont très solidaires de leurs collègues masculins, participent aux grèves, assistent aux assemblées générales. Mais leur militantisme est entravé, soit par leurs charges familiales qui les ramènent auprès des enfants, soit par le poids de la tradition, qui les a éduquées à toujours mobilisés. Les cadres de l'industrie eux-mêmes sont partis comme officiers de réserve. Pour pallier ce manque, le gouvernement rappelle d'abord à grand-peine 500 000 puis deux millions de spécialistes. Mais bientôt, l'armistice est signé et l'histoire se répète : puisque les mobilisés rentrent au bercail, le gouvernement de Vichy prend des mesures restrictives à l'encontre du travail des femmes. Deux ans plus tard, il faut tout annuler : le Service du travail obligatoire, imposé par les occupants, oblige de nouveau les hommes à abandonner leurs postes. La situation est radicalement différente de celle de la Grande Guerre. On ne travaille plus pour la Patrie mais pour l'occupant : en France, les femmes doivent travailler pour les Allemands dans les rares secteurs qui tournent encore parce qu'ils sont directement liés à l'effort de guerre, tels que la chimie ou la métallurgie (elles ont échappé de justesse au STO en Allemagne : le gouvernement de Vichy est tout de même intervenu...). Le reste de l'industrie – qui demeure dévolu aux Français – est paralysé, faute de matières premières. C'est toujours dans le tertiaire que les travailleuses souffrent le moins ; le secteur est relativement stable, surtout dans le public. Les PTT, la SNCF, les mairies, l'Éducation nationale, fournissent la majeure partie des postes disponibles. Des postes qui peuvent s'avérer stratégiques : certaines employées n'hésitent pas à entrer en résistance en transmettant des messages, du courrier, en « perdant » des dossiers, en fournissant des actes d'état civil falsifiés, etc. Ces « petites mains » de l'Armée des ombres sauvent parfois des vies...

DES LENDEMAINS QUI DÉCHANTENT

À la Libération, la reconstruction implique le plein emploi : on travaille dans l'euphorie et la confiance du

- *1982 : la loi Roudy interdit formellement la discrimination sexuelle dans le cadre professionnel. Les entreprises de plus de 50 salariés doivent obligatoirement fournir un rapport annuel sur l'égalité professionnelle.*

- *1986 : une circulaire légalise l'emploi du féminin pour les fonctions et noms de professions : docteure (en sciences, en droit, etc.), auteure, professeure, écrivaine, maire-adjointe.*

- *19 juin 1987 : la loi Seguin restreint l'interdiction du travail de nuit des femmes.*

- *1989 : la Cour de justice des Communautés européennes déclare que l'interdiction du travail de nuit des femmes n'est pas conforme. Les conjoints de professionnels libéraux ont droit à un statut social approprié.*

- *2 novembre 1992 : le harcèlement sexuel au travail est passible de sanction.*

- *19 octobre 1995 : création de l'Observatoire de la parité, qui surveille et recense les inégalités entre hommes et femmes.*

La situation des femmes dans le monde du travail change du tout au tout après la Seconde Guerre mondiale. Reste à gagner bien d'autres batailles : pour l'égalité des salaires, contre le sexisme et la « promotion canapé ».

À 32 ans, Betsy Caroll est la première femme pilote de Boeing 747 à traverser l'Atlantique, le 17 mai 1984.

plus tôt, les tâches domestiques sont simplifiées grâce à l'électroménager qu'on parvient progressivement à acquérir. Bref, on s'organise. Au début des années 60, plus de la moitié des femmes actives sont mariées. L'activité féminine est entrée dans les mœurs. Mais la vie familiale demeure toujours un frein à leur activité professionnelle : on ne travaille que jusqu'à ce que l'on prenne époux, ou bien après avoir élevé ses enfants. Quoi qu'il en soit, des inégalités criantes avec le travail masculin persistent. On constate que l'écart salarial entre les deux sexes augmente avec l'âge et la qualification et que plus une femme exerce un métier essentiellement masculin, plus elle est financièrement défavorisée. Cette situation sur le marché du travail est une constante, encore valable de nos jours.

À partir de 1975, c'est la crise : la croissance commence par ralentir sérieusement, puis s'inscrit dans une courbe nettement descendante dès 1980. Selon les spécialistes et les analystes financiers, « l'économie est malade de sa propre expansion[1] ».

Même le tertiaire éprouve de graves difficultés et s'engorge, victime de son succès. Le revenu national est en baisse, l'inflation et le chômage font des ravages, la frilosité des investisseurs couronne le tout. Malgré cette piètre conjoncture, le travail des femmes se maintient, en France comme dans toute l'Europe. Ce qui ne va pas sans susciter, une fois de plus, quelques animosités... Poujade et consorts, jusqu'aux partis nationalistes d'aujourd'hui, n'aspirent qu'à renvoyer femmes et immigrés chez eux. Les boucs émissaires habituels…

lendemain, même s'il reste beaucoup de plaies à panser et d'absents à pleurer. Le rationnement ne prend fin qu'en 1949, mais on l'accepte jusque-là d'un cœur plus léger. En 1946, 41 % des Françaises travaillent dans l'agriculture, le petit commerce ou l'artisanat. Elles ne seront plus que 9 % en 1975. Jusqu'à cette date, le travail ne manque pas et le nombre de salariées dans la population féminine active ne cesse d'augmenter. Le secteur des services est en pointe du travail féminin : dans les années 70, il assure plus de 80% des créations d'emplois salariés et 60% des postes y sont occupés par des femmes. Il n'est plus immoral de quitter ses pénates chaque matin pour gagner sa vie, que l'on soit seule ou mariée. Les enfants sont confiés à des crèches et scolarisés

1. Cf. *Histoire des femmes*, de Georges Duby et Michelle Perrot, Plon 1992.

Les femmes et la vie active

En 1994, les femmes représentent :

0,08 % des chefs d'équipe dans le bâtiment,

4 % des effectifs de la gendarmerie,

5,5 % des effectifs de la police,

7,4 % des contremaîtres et agents de maîtrise,

7,5 % des ouvriers artisans,

13,9 % des chefs d'entreprises de plus de 10 salariés,

26,6 % des cadres de la fonction publique,

33 % des professions libérales,

41,4 % des cadres de l'information, des arts et du spectacle,

65 % des enseignants du primaire,

77,2 % des employés de commerce,

97,6 % des secrétaires.

LE BLUES DES SUPERWOMEN

Pourtant, l'évolution est inéluctable. De plus en plus, les jeunes filles échappent à la prédestination sociale qu'on aurait aimé leur assigner en poursuivant des études supérieures. On trouve les femmes en très grand nombre dans l'édition, le journalisme, l'enseignement. À la fac, elles sont majoritaires dans certaines filières, toujours les mêmes : lettres, langues, pharmacie, droit, médecine, tandis que le commerce, les mathématiques et les sciences demeurent l'apanage des garçons. Les préjugés ne cèdent finalement que très peu de terrain. Quand les filles tentent de faire carrière dans une profession à profil traditionnellement masculin, elles doivent s'apprêter à affronter les inégalités salariales, la misogynie voire l'hostilité de leurs collègues masculins. C'est chasse gardée. Les hommes sont d'autant plus agacés par cette émergence des femmes dans leurs domaines professionnels qu'ils se sentent en danger dans leur vie privée : les divorces sont devenus un phénomène de société, les filles restent plus longtemps célibataires, ont acquis de l'indépendance, se situent sur le même terrain affectif et intellectuel. Par conséquent, on leur mène la vie dure. Et l'on assiste désormais à une véritable division sexuelle du travail. D'ailleurs, on a inventé pour elles une nouvelle forme d'emploi, qui les fait tenir tranquilles et donne meilleure allure aux statistiques : le travail à temps partiel. On estime qu'en 1986 25 % des femmes actives travaillent suivant cette modalité. Beaucoup s'en contentent, car le chômage les touche de manière plus massive que les hommes : en 1997, on dénombre 13 % de chômeuses sur l'ensemble

Au milieu des années 80, le mythe de la superwoman prend du plomb dans l'aile. Dans la réalité, ce sont les femmes qui, en majorité, s'occupent du ménage et des enfants, et se trouvent confrontées à une double journée de travail.

Le quotidien professionnel est bien moins spectaculaire. Harcèlement sexuel, licenciements abusifs, blocage des promotions : la liste des réjouissances n'est pas exhaustive.

En dépit des dispositions de la loi Roudy votées plusieurs années auparavant (1982) et toujours difficilement appliquées qui devaient garantir la non-discrimination à l'embauche, les femmes restent largement défavorisées. Aujourd'hui, une femme cadre touche en moyenne 41,7 % de moins que son collègue au même poste, et, selon l'INSEE, la moyenne des écarts, toutes professions confondues, est de 20%. On est très loin de l'égalité des sexes qu'il est de bon ton d'affirmer acquise dans tous les domaines...

Des femmes qui en ont !...
des diplômes, bien sûr :
femme sommelier, flic, militaire
ou chef de chantier, elles doivent
affronter le machisme ambiant.

des femmes actives, tandis qu'environ 9 % des hommes actifs subissent le même sort. On a beau ne plus tarir d'éloges sur les « superwomen », à la fois travailleuses, épouses et mères parfaites, celles-ci appartiennent à une petite minorité. Car pour beaucoup de femmes, c'est une double journée de travail qui constitue le quotidien : huit heures de bureau, puis vite, vite, le retour à la maison pour s'occuper des enfants, faire les courses, le ménage, préparer le dîner... Même si, en cette fin de siècle, leurs compagnons se consacrent de plus en plus aux tâches ménagères, les traditions, là encore, ont la vie dure. Pour s'en rendre compte, il suffit d'allumer la télé : les publicitaires décrivent cette perle à la perfection...

LA FEMME EN
1960

- *Prénoms :* Martine, Corinne, Caroline, Florence.

- *Situation familiale :* début de la contraception, premiers couples non mariés.

- *Âge au premier mariage :* 23 ans.

- *Nombre d'enfants par femme :* 2,84.

- *Professions :* enseignante, standardiste, sténo-dactylo.

- *Lectures et magazines préférés : Les Allumettes suédoises, Belle du Seigneur, L'Astragale, Les Nouveaux Aristocrates.*

- *Films et feuilletons préférés : 2001, l'Odyssée de l'espace, West Side Story, Jules et Jim, Cléopâtre, Les Parapluies de Cherbourg.* TV : *Janique Aimée, Belphégor, Peyton Place, Les Rois maudits, Les Globe-Trotters, Les Gens de Mogador.*

- *Chanteurs préférés :* Les Beatles, Johnny Hallyday, Sylvie Vartan, Claude François, Jacques Brel, Dario Moreno, Guy Béart, Serge Gainsbourg, France Gall, Françoise Hardy, Adamo, Lucky Blondo, Danyel Gérard, Antoine.

- *Chansons préférées : Si j'avais un marteau, Souvenirs souvenirs, Poupée de cire poupée de son, Hey Jude, L'eau vive, Amsterdam, La Javanaise, Tous les garçons et les filles, Petit Gonzales.*

- *Sports et loisirs :* natation, dessin, travaux de décoration intérieure.

- *Alimentation :* engouement pour les conserves.

- *Soins du corps :* postiches, faux cils, blush, paillettes, fausses taches de rousseur, produits autobronzants, produits antirides.

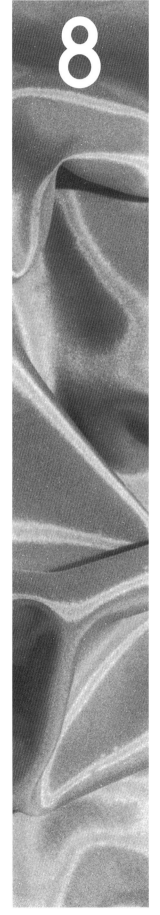

8

70

LA FEMME ET LE POLITIQUE

« IL EST PLUS FACILE DE CÉDER SON SIÈGE À UNE FEMME DANS L'AUTOBUS QU'À L'ASSEMBLÉE NATIONALE. »
Laurent Fabius, 1996.

Avant que n'éclate la fureur de la « drôle de guerre », le « féminisme » – le mot n'est utilisé en France que depuis 1837 – est un mouvement d'ampleur internationale construit autour d'une principale revendication : le droit de vote pour les femmes, même si les suffragettes réfléchissent également aux questions liées à la maternité. L'Internationale féministe est dynamisée par les Anglo-Saxonnes : le Conseil international des femmes, un groupe modéré d'instigation américaine, présidé par une Anglaise, Lady Aberdeen, compte près de 15 millions d'adhérentes ; l'Association internationale pour le suffrage des femmes, plus radicale, est dirigée par Mrs. Chapman Catt, une Américaine ; le Mouvement international des femmes socialistes, qui dédaigne les « bourgeoises » et exalte les valeurs prolétariennes, est initié par l'Allemande Clara Zetkin, grande amie de Rosa Luxemburg, avec laquelle elle a fondé le groupe révolutionnaire Spartakus, qui deviendra en 1919 le parti communiste allemand.

Malgré de notables divergences d'opinions, chaque groupe se sent lié aux autres par solidarité féminine.

Dans la classe ouvrière, les syndicats, qui ne voient pas d'un très bon œil la présence des femmes dans les entreprises, suscitent chez certaines travailleuses des vocations de militantes féministes. Au congrès de Rennes, dès 1898, les représentants de la Confédération générale du travail

• **1904 :** *Caroline Kauffmann fait irruption dans la salle de conférence de la Sorbonne à l'occasion de la célébration du centenaire du Code civil.*

• **1906 :** *l'alpiniste américaine Fanny Bullock-Workman remporte le record d'altitude féminin dans la chaîne de l'Himalaya, qui ne sera dépassé qu'en 1934. Parvenue au sommet du Nun Kun (6 930 m), elle déploie une bannière sur laquelle on peut lire : « Votes for women ».*

• **13 juillet 1907 :** *les Françaises mariées peuvent disposer librement de leur salaire.*

• **3 mai 1908 :** *manifestation à Paris pour le droit de vote pendant les élections municipales.*

• **1909 :** *création de l'Union française pour le suffrage des femmes, laïque et radicale, par la féministe Jeanne Schmahl.*

Rosa Luxemburg, « Rosa la rouge », fondatrice du parti communiste allemand en 1919.

*Madeleine Pelletier, féministe
de choc, première candidate
aux élections législative
de 1910 dans le 18ᵉ
arrondissement de Paris.*

encore plus clairement : «Tous les travailleurs sont d'accord pour reconnaître que l'introduction de la femme a été néfaste à la classe ouvrière, tant au point de vue moral et physique qu'au point de vue pécuniaire.[1] » Devant ce sexisme véhément, les femmes sentent l'urgence de s'unir et constituent des groupes syndicalistes partout en Europe et dans tous les corps de métier. Dans les grands rassemblements, les déléguées sont peu nombreuses mais particulièrement âpres à défendre la cause des femmes, comme Madeleine Pelletier, représentante du Nord au congrès qui fonde le parti socialiste en 1905. Pour elle, féminisme et syndicalisme sont étroitement liés : « En même temps qu'elles doivent s'affranchir en tant que classe, il est absolument indispensable [que les femmes] s'affranchissent en tant que sexe. [...] Parce qu'on ne veut pas faire sortir la femme du cercle étroit de la famille, elle devient un organe inconscient de la réaction. » Un Groupe de femmes socialistes, international, se constitue pour défendre les droits des travailleuses en particulier et des femmes en général. Les féministes veulent combattre « l'esprit bourgeois » et gagner le droit de vote.

Mais cette belle alliance est définitivement rompue par la Première Guerre mondiale.

Les féministes laissent de côté leurs revendications sociales et politiques pour mieux servir leur patrie. Parmi elles, quelques pacifistes font sécession, persuadées que militarisme et nationalisme ne peuvent se manifester qu'au détriment des femmes, et en faveur du seul pouvoir viril. Mais

insistent sur le fait qu'il faut « empêcher l'homme d'accaparer les travaux et les emplois appartenant à la femme, et réciproquement, empêcher également la femme d'enlever à l'homme le travail lui incombant naturellement ». Les femmes à l'usine ou dans les grandes entreprises ne sont clairement pas les bienvenues. Le syndicat des typographes, durant le même rassemblement, exprime ses « craintes » : « Le travail des femmes est une calamité, un mal social. Une femme entrée honnête et sage dans un atelier ne tarde pas à se dépraver, étant sans cesse en butte aux séductions des ouvriers qui l'entourent… » Tous les prétextes sont bons pour éloigner les femmes. En 1900, lors du 5ᵉ congrès de la CGT, on répète les choses

1. In *Libération des femmes*, Organisation communiste libertaire, Éditions Acratie, 1998.

les congrès pacifistes sont des échecs : ils sont largement boycottés par les autres groupes féministes et vivement contestés par les gouvernements. La majorité des femmes préfère participer à l'effort de guerre. Les Américaines, nationalistes virulentes, organisent même des camps d'entraînement féminin militaires et domestiques : plus de cent mille patriotes adhèrent à la « Woman's section of Navy League ». En France, les socialistes Hélène Brion – institu-

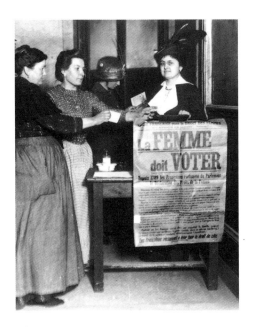

trice et syndicaliste –, Louise Saumoneau – une couturière surnommée « le Général sans armée » pour sa verve et son allure masculine –, Hubertine Auclert – pionnière de la propagande féministe –, et l'incontournable Madeleine Pelletier, psychiatre et membre du parti socialiste, sont les leaders féministes les plus actives de l'époque.

SUFFRAGETTES EN DÉTRESSE...

En 1918, les suffragettes, parce qu'elles ont lutté pour la patrie, s'imaginent pouvoir accéder au droit de vote en récompense des services rendus. En mai 1919, la Chambre adopte à une forte majorité l'amendement qui donnerait aux femmes de plus de 30 ans le droit d'électorat et d'éligibilité mais, en novembre 1922, le Sénat le repousse catégoriquement : à droite, on est contre par principe, et à gauche, on a peur que les femmes ne fassent preuve d'un vote conservateur. Cette valse-hésitation ne sera pas la dernière...

• *1910* : *une vingtaine de féministes se présentent aux législatives mais leurs candidatures sont rejetées.*

• *Février 1914* : *238 députés sur 591 refusent le vote des femmes.*

• *5 juillet 1914* : *Louise Saumoneau et son Groupe des femmes socialistes organisent une grande manifestation qui sera la première « Journée des femmes ». 6 000 femmes se rassemblent devant la statue de Condorcet, à Paris, pour réclamer le droit de vote.*

• *Janvier 1915* : *« L'appel aux femmes socialistes » de Clara Zetkin est diffusé en France grâce à Louise Saumoneau.*

• *Juillet 1915* : *création par la CGT d'un Comité intersyndical d'action contre l'exploitation de la femme.*

• *1916* : *Barrès propose le « suffrage des morts », accordant le droit de vote aux veuves et mères de soldats tués au combat.*

• *1917* : *l'institutrice féministe et pacifiste Hélène Brion est arrêtée et inculpée de « défaitisme ». Colette Reynaud fonde la revue féministe et socialiste* La voix des femmes.

• *1918* : *constitution d'un Groupe des droits de la femme, à la Chambre des députés, présidé par Jules Siegfrid. Louise Weiss, journaliste, pacifiste et militante féministe, fonde la revue* L'Europe nouvelle.

• *Novembre 1918* : *le Sénat nomme une commission chargée d'examiner la question du vote des femmes.*

• *Mai 1919* : *la Chambre des députés vote une proposition de loi en faveur des droits politiques des femmes. Création de la Ligue internationale des femmes pour la paix et la liberté.*

En 1914, les suffragettes parisiennes organisent un bureau de vote improvisé pour que les femmes participent aux élections législatives. En vain...

*L*es femmes citoyennes

DROIT DE VOTE DES FEMMES DANS LE MONDE

1869 : aux USA, dans le Wyoming (puis dans 11 autres États avant 1914).
1902 : Australie.
1906 : Finlande.
1913 : Norvège.
1915 : Danemark. Islande.
1918 : Autriche. Grande-Bretagne (à 30 ans révolus). Russie. Irlande.
1919 : Pays-Bas. Allemagne (fédérale). Luxembourg.
1920 : USA, dans tous les États.
1921 : Suède.
1928 : Grande-Bretagne (à 21 ans révolus).
1931 : Espagne.
1934 : Turquie.
1935 : Roumanie.
1944 : France.
1945 : Italie.
1948 : Belgique.
1952 : Grèce.
1962 : Monaco.
1971 : Suisse.
1976 : Portugal.
1983 : Égypte.

Le 11 janvier 1916, des Françaises et des Belges manifestent pour le droit de servir en tant qu'auxiliaires dans l'armée... sous le regard amusé des hommes.

Les repères familiaux et sociaux ayant été bouleversés par la guerre, les hommes ne songent plus qu'à reconquérir la place qu'ils considèrent comme la leur, en tant que chefs de famille et maîtres incontestés du pays. La participation des femmes à l'effort de guerre leur a semblé nécessaire mais certainement pas très plaisante. L'expérience doit prendre fin. La femme émancipée est considérée comme une dévergondée. On décerne des médailles aux familles nombreuses, on chante les louanges de la ménagère, on privilégie l'idéologie nataliste. L'idée selon laquelle une femme ne peut se réaliser que par la procréation et le sacrifice de toute ambition personnelle au profit du bien-être familial est largement répandue.

En dépit de cette forte résistance à l'évolution du statut de la femme, il s'est opéré quelques changements sur lesquels nul ne peut revenir : les femmes ont désormais accès à l'enseignement secondaire et supérieur, et ont investi le monde du travail, notamment en usine et dans le secteur tertiaire. Progressivement, elles acquièrent un rôle social plus important.

La jeune génération s'affirme plus libre, refusant d'oublier les responsabilités qu'elle a assumées pendant la guerre. Certaines jouent même le jeu trouble de l'homosexualité, déjà vécue comme un véritable défi à l'autorité virile.

Mais ces militantes féministes sont marginalisées, à tel point que certains historiens parlent même de déclin du féminisme à partir de 1920... En 1922, Victor Margueritte publie *La Garçonne*, un roman qui se vend à plus d'un million d'exemplaires ; il est traduit dans une douzaine de langues et les Français se l'arrachent. Le scandale qu'il suscite est proportionnel à son incroyable succès, et l'auteur est radié de la Légion d'honneur. Pensez donc : l'héroïne est belle, intelligente, individualiste et... bisexuelle ! La polémique fait rage pendant des mois. Une grande partie des féministes s'avère même choquée par le caractère « pornographique » de l'œuvre. Il n'y a bien que les révolutionnaires pour soutenir l'ouvrage.

« FAISEUSES D'ANGES » OU « MÈRES COURAGE »

Mais entre la volonté d'hégémonie patriarcale et les réalités de l'existence féminine, le fossé ne cesse de se creuser. Peu de femmes peuvent matériellement se permettre de rester chez elles pour élever leur progéniture. Pour faire « bouillir la marmite », elles doivent gagner de l'argent. Financièrement moins dépendantes de leurs hommes, elles sont davantage maîtresses de leur vie : les mariages arrangés déclinent, l'asservissement au mâle n'est plus à l'ordre du jour. Dans les campagnes, les femmes s'attablent avec leurs maris au lieu de les servir, debout derrière eux.

En Grande-Bretagne, l'idée selon laquelle les femmes doivent pouvoir

disposer de leur corps fait son chemin : les centres d'information anti-conceptionnelle se multiplient. En France, cette évolution des mentalités est considérablement freinée par l'interdiction de toute propagande en faveur de la contraception, depuis la loi du 3 juillet 1920. Les avortements sont toujours très nombreux, et faiblement pénalisés ; jusqu'au milieu des années 20, 80 % des femmes accusées de ce crime sont acquittées par les tribunaux. Mais cette indulgence s'estompe en quelques années, et l'avortement se prépare à devenir l'un des grands combats opposant les sexes, une lutte symbolique avant d'être politique, dont la liberté de la femme est l'enjeu : « entre 1925 et 1935, les acquittements tombent à 19 %[1] ». Les femmes françaises n'affichent pas ouvertement cette revendication à disposer de leur corps, ne répon-

1. « Les rôles féminins », de Anne-Marie Sohn, in *Histoire des femmes*, t. 5, G. Duby et M. Perrot, Plon, 1992.

• *Juillet 1919* : le pape Benoît XV se déclare en faveur du droit de vote pour les femmes.

• *1921* : création de la médaille de la Famille française pour les mères de famille nombreuse « méritantes ».

• *Décembre 1921* : lors d'un meeting organisé au Trocadéro, Poincaré se déclare pour le vote des femmes.

• *1922* : le Sénat repousse la proposition des députés de 1919.

• *Avril 1924* : fondation de l'Union nationale pour le vote des femmes.

• *1925* : des candidates communistes se présentent aux élections municipales. Leur démarche est invalidée car les femmes ne sont pas éligibles.
Andrée Butillard crée l'Union féminine civique et sociale, mouvement catholique et social ayant pour devise : « Rendre les femmes autonomes et solidaires ».

• *Février 1929* : les États généraux du féminisme se tiennent à Paris.

• *Mai 1929* : meeting féministe à Paris, salle Wagram, destiné à presser le Sénat de ratifier la proposition de la loi en faveur du vote des femmes précédemment adoptée par la Chambre des députés.

• *1931* : ouverture de la bibliothèque Marguerite Durand en face du Panthéon : cette journaliste et féministe a fait don à la ville de Paris de ses archives sur les femmes.

• *Janvier 1932* : la féministe Jeanne Valbot perturbe une séance du Sénat en lançant des tracts pour le vote des femmes ; elle est arrêtée.

• *Février 1932* : Jeanne Valbot s'enchaîne à un siège durant une séance du Sénat.

Ci-dessus : *Suzanne Lacore, sous-secrétaire d'État à la Protection de l'enfance et son chef de cabinet, dans le ministère Blum, de 1936 à 1937.*

Mai 1938 : rassemblement de féministes devant l'Assemblée nationale.

dent pas encore à cette répression mais agissent de manière détournée, comme l'indique la chute de la natalité qui marque les années 30 : la méthode Ogino, le « coïtus interruptus », le préservatif ont leurs adeptes. Le diaphragme est encore interdit, car son utilisation échappe à tout contrôle masculin...

À la fin des années 30, la femme devient progressivement un peu plus autonome. Le 18 février 1938, elle est légalement autorisée à avoir un compte en banque, à poursuivre des études ou passer des examens, et à demander un passeport sans l'autorisation de son mari.

ÉGALES DEVANT LE DANGER ET LA MORT

Mais la montée du fascisme en Europe met bien vite un frein à ces velléités émancipatrices. Après l'armistice, le gouvernement de Vichy prône que seules les mauvaises femmes refusent d'être mères : ce sont soit des garçons manqués – voire des « inverties » ! –, soit des catins. Pour protéger la cellule familiale, on rend la procédure de divorce plus lente et plus difficile ; en décembre 1942 est promulguée une loi contre l'adultère commis avec l'épouse d'un prisonnier de guerre. Le gouvernement de la France occupée reste persuadé que la femme représente un facteur de stabilisation sociale et politique non négligeable. Les mères ne peuvent être des révolutionnaires ! Le Conseil national de Vichy ne refuse donc pas d'envisager de leur accorder le droit de vote. Mais ce projet constitutionnel est vite débordé par d'autres urgences. À partir de 1943, le régime se durcit, devenant de plus en plus policier et inféodé à l'Allemagne du IIIe Reich. En juillet 1943, pour faire un exemple, on guillotine Marie-Louise Giraud, une « faiseuse d'anges » : fait exceptionnel, symbolique de la politique vichyste, les femmes condamnées à mort n'étant effectivement exécutées que très rarement. L'avortement est devenu, davantage qu'un « crime contre l'État », un « crime contre la race »...

Mais toutes les femmes ne sont pas aussi soumises ni aussi futiles que Vichy voudrait le croire. La Résistance au féminin s'organise très efficacement et à tous les niveaux. Quelques-unes, telles que Jeanne Bohec, ont répondu à l'appel lancé par le général de Gaulle le 18 juin 1940 et ont rejoint en Angleterre les troupes des « Auxiliary Territorial Services » ou se sont engagées dans le « Corps des volontaires françaises » créé le 16 décembre 1941 : ce seront les premières femmes militaires officiellement reconnues... En France, des comités populaires menés par des femmes se mobilisent et manifestent pour faire débloquer des stocks de nourriture. Madeleine Barrot, qui dirige la Cimade, une organisation protestante de charité, sauve des enfants juifs. Une presse clandestine, exclusivement destinée aux femmes, se fait l'écho des actions menées contre l'ennemi, encourageant chacune à agir selon ses possibilités. En toute logique, les militantes communistes et socialistes s'engagent dans la lutte contre le fascisme.

Pour beaucoup, c'est un combat à mort. Danielle Casanova, du parti communiste, est arrêtée en 1942 et déportée à Auschwitz, dont elle ne reviendra pas. De même pour Suzanne Buisson, secrétaire du Comité des femmes socialistes, déportée durant l'été 1943. Des femmes de résistants sont torturées ou directement envoyées dans les camps de la mort. Des familles entières se mettent en danger pour avoir simplement transmis des messages, hébergé, nourri ou caché ceux qui sont persécutés par les nazis.

Les femmes sont les égales des hommes devant le danger et la mort.

Berty Albrecht, une figure emblématique de la Résistance, responsable du groupe « Combat » aux côtés d'Henri Frenay, est arrêtée deux fois avant d'être portée disparue. Simone Michel-Lévy, qui a monté son propre réseau aux PTT, est torturée, déportée et pendue. Bien d'autres, restées anonymes, subissent le même sort. Peu de résistantes, cependant, se voient confier des postes de commandement ; elles sont plutôt utilisées comme agents de liaison ou de renseignements, ou pour organiser des filières d'évasion. On compte sur leur apparence inoffensive pour tromper l'ennemi... Quelques-unes s'imposent toutefois comme leaders à force de courage et de détermination : Marie-Louise Dissart est responsable du fameux réseau « Françoise » ; Marie-Claude Fourcade est à la tête du réseau « Alliance »; Claude Gérard est responsable de maquis pour « Combat ». Lucie

Pendant l'Occupation, de nombreuses femmes rejoignent les rangs de la Résistance. Un engagement qui conduira la France libre du général de Gaulle à reconnaître l'égalité sociale, économique et politique des sexes.

*Le 20 avril 1945, les Françaises
votent pour la première fois,
pour les élections municipales.*

Aubrac, enceinte, parvient à organiser l'évasion de son mari résistant, prisonnier de la Gestapo lyonnaise. D'autres encore participent directement à la guérilla urbaine, telles que Madeleine Riffaud, à Paris, Madeleine Baudoin, à Marseille, Marguerite Morizot et Jeanne Bohec, spécialistes en explosifs et en sabotage.

Dès 1942, le général de Gaulle rend hommage à l'action de ces femmes admirables et admet l'idée de leur donner, ainsi qu'à toutes les autres Françaises, des droits et devoirs politiques identiques à ceux des hommes. Lucie Aubrac devient ainsi déléguée à l'Assemblée d'Alger. La France libre s'engage à accorder l'égalité sociale, économique et politique des femmes.

Le 23 mars 1944, l'Assemblée consultative d'Alger accorde le droit de vote aux Françaises, ratifié par une ordonnance du général de Gaulle un mois après, le 21 avril.

Le nouveau pouvoir politique, plus jeune, issu de la Résistance, reconnaît enfin aux femmes leur pleine responsabilité de citoyennes. Les mouvements « suffragistes » déclinent peu à peu, ayant perdu leur principale raison d'être. Une tradition féministe disparaît.

DE LA RUE
À L'ASSEMBLÉE

Le 20 avril 1945, les Françaises votent pour la première fois pendant les municipales, puis le 21 octobre de la même année, pour les élections à l'Assemblée constituante. En 1946, elles sont 47 % à réserver leur vote aux forces conservatrices modérées, restant très fidèles à celui qui les a politiquement émancipées, le général de Gaulle.

Au début des « Trente Glorieuses », le climat est effervescent : les femmes

sont de plus en plus actives, on entre dans l'ère de la société de consommation, et les temps sont favorables à l'épanouissement de l'individu, qu'il soit homme ou femme. Le taux d'élues, aux premières assemblées et au Sénat, en 1946 et 1947, atteint 7 % : un record qui restera inégalé jusqu'à la fin des années 1990... La Déclaration universelle des droits de l'homme prend en compte l'égalité entre les sexes et celle des époux durant le mariage, mais, empiriquement, la situation est pourtant bien moins idyllique. Le général de Gaulle n'a demandé à aucune femme d'entrer dans son gouvernement, allant même jusqu'à plaisanter sur ce sujet en imaginant un « sous-secrétariat d'État au tricot[1] » !

En politique, les femmes sont donc alors condamnées à travailler dans l'ombre : telle Marie-France Garaud, surnommée par Georges Pompidou « la Rastignac en jupons », qui deviendra sa conseillère attitrée en 1967 et le suivra à l'Élysée deux ans plus tard.

Le Code Napoléon fixe toujours des limites aux libertés de la femme mariée, qui reste légalement subordonnée à son conjoint : celui-ci décide de presque tout concernant le couple et les enfants, chargé d'administrer ses biens et ceux de son épouse ou de décider de leur lieu de résidence... La division sexuelle du travail est indéniable, sans parler des inégalités salariales.

Mais la volonté d'indépendance des femmes, désormais directement partie prenante de la vie économique et culturelle du pays, s'accroît d'année en année. Les comportements changent, le concubinage se développe

fortement, des enfants naissent hors mariage.

En 1965, le général de Gaulle est réélu par les femmes : elles sont 62% à voter pour lui, contre 48% des hommes.

La femme est légalement émancipée de la tutelle maritale. En dépit de ce progrès, les idéologies sexistes perdurent et la femme continue d'être davantage perçue comme une génitrice que comme une créatrice.

Les féministes ont assisté à ces réformes juridiques sans vraiment s'en émouvoir : pour elles, il s'agit de mesures hypocrites qui ne changent pas grand-chose à un état de fait. Leurs revendications sont très éloignées de celles de leurs aïeules suffragettes.

Mais en mai 68, ces militantes peuvent enfin s'exprimer, se battre contre les préjugés et les pratiques sexistes, descendre dans la rue pour se colleter physiquement avec le pouvoir masculin... Elles suivent la voie tracée par les Américaines du « Women's Lib », fondues de marxisme et de psychanalyse, grandes admiratrices de Simone de Beauvoir, dont le *Deuxième Sexe* est leur Bible. Pour ces nouvelles féministes, la lutte des sexes a remplacé la lutte des classes. Les rares hommes sympathisants qui assistent à leurs premières assemblées sont rapidement rejetés par peur de leur éventuelle propension à la domination. Les homosexuelles renforcent le caractère radical de certains groupes. En France, le MLF n'émerge en tant que tel qu'à partir de 1970 et se fait connaître à l'occasion d'un « coup » médiatique : le 26 août, une douzaine de militantes, dont l'écrivain Christiane Rochefort, déposent une gerbe sous l'Arc de Triomphe, à la gloire de la femme du Soldat inconnu... Le MLF ne se veut

1. Cf. *Le XXᵉ siècle des femmes*, de Florence Montreynaud, Nathan, 1989.

• *Novembre 1944* : les Comités féminins de la Résistance fusionnent pour former l'Union des femmes françaises.

• *1946* : le préambule de la Constitution pose le principe de l'égalité des droits entre hommes et femmes dans tous les domaines.

• *1947* : en France, une femme est pour la première fois nommée ministre, dans le gouvernement de Robert Schuman (novembre 1947-juillet 1948) : Germaine Poinso-Chapuis, à la Santé publique.

• *1949* : publication du Deuxième Sexe de Simone de Beauvoir.

• *1955* : Marie-Andrée Lagroua-Weil-Hallé, médecin, témoigne du côté de la défense au procès pour infanticide des époux Bac, dont la femme a supporté cinq grossesses en cinq ans. La doctoresse se bat pour la légalisation de l'avortement et fonde en 1956 l'association « Maternité heureuse » dont l'objectif est la diffusion des moyens de contraception, notamment des diaphragmes, importés clandestinement de Suisse et d'Angleterre.

• *1960* : l'association féministe « Maternité heureuse » adopte le nom de « Mouvement français pour le planning familial ». Le premier centre est ouvert un an plus tard à Grenoble. Les militants travaillent dans l'illégalité jusqu'en 1967, date à laquelle la loi Neuwirth sur la pilule contraceptive est enfin adoptée. Sirimavo Bandaranaïke, 44 ans, est la première femme Premier ministre de l'histoire, à Ceylan...

• *1963* : la première « pilule » est commercialisée en France.

• *1966* : Indira Gandhi devient Premier ministre de l'Inde.

• *1967* : les femmes sont autorisées à entrer à la Bourse. Marie-Claude Vaillant-Couturier, communiste, est vice-présidente de l'Assemblée nationale jusqu'en 1968.

• *1968* : le mot « contraception » est entré dans le dictionnaire de l'Académie française.

Vincennes, 1973 : manifestation du Mouvement de libération des femmes.

Page suivante *: en 1975, Simone Veil parvient à faire adopter la loi qui libéralise l'interruption volontaire de grossesse.*

ni une organisation ni un parti ; aucun leader n'est toléré. Le mouvement se compose de collectifs et groupuscules plus ou moins éphémères aux noms guerriers ou provocateurs : « Les Gouines rouges », « Les Pétroleuses »… « Psychanalyse et politique », dit « Psychépo », est une exception qui perdure jusqu'à nos jours, revendiquant le sigle MLF comme sa propriété. Les militantes féministes veulent se battre sur tous les terrains, en vertu du principe que « le privé est politique » : pour elles, chaque choix individuel et comportement personnel soulève des questions politiques. Pour s'affranchir des diktats patriarcaux, elles rejettent par exemple les canons de beauté habituels, adoptent les talons plats, refusent de s'épiler les jambes et les aisselles. Les militantes veulent s'affranchir de la « double journée » (les tâches domestiques en plus du travail salarié), réclament des crèches et des garderies pour leurs enfants à l'État, demandant à leurs conjoints de partager les tâches domestiques. Leur emblème est le symbole du gamète femelle en biologie ; dans les manifs, elles lèvent les mains, jointes par les pouces et les index pour former un triangle : le vagin est au centre de toutes leurs revendications, la principale se résumant à « Notre corps est à nous ! Un enfant si je veux, quand je veux ! » Contraception et avortement en ligne de mire… C'est donc tout un mode de vie et de pensée que les féministes « seventies » veulent changer. La révolution sexuelle est passée par là : elles dénoncent viol, inceste, harcèlement et abus sexuels, luttent pour l'avortement. Les ultra-conservateurs réagissent violemment à cette dernière revendication : pour eux, la femme doit « assumer les conséquences du plaisir » qu'elle ose vouloir éprouver, et l'avortement est assimilé à un infanticide. Jérôme Lejeune, généticien, fonde l'association « Laissez-les vivre » qui lutte avec beaucoup de virulence contre l'avortement. L'Église catholique soutient les adversaires de l'avortement, alors que la Fédération protestante de France prend position aux côtés des féministes, déclarant en 1971 qu'il y a parfois « plus de courage et d'amour à prendre la responsabilité d'un avortement ». On parle de 400 à 800 000 avortements clandestins par an...

Progressivement, la cause des femmes gagne du terrain. À force de slogans provocateurs, d'assemblées, d'opérations spectaculaires, elles parviennent à se faire entendre. Les plus radicales n'hésitent pas à interpeller ceux qu'elles jugent responsables de tous leurs maux :
« Un médecin "au nom de la vie" ?
Un prêtre "au nom de Dieu" ?
Un juge "au nom de la loi" ?
Ils ne décideront plus pour nous ![1] »
... Et contestent l'autorité virile sous toutes ses formes.

Une autorité qui doit désormais compter avec le reste de la gent féminine pour s'exercer : les femmes représentent une part très importante du corps électoral, un potentiel politique que l'on ne saurait négliger et qui s'avère certainement moins facilement manipulable que certains n'auraient pu l'imaginer. Leur comportement électoral se met à changer, elles sont désormais un peu plus nombreuses, surtout parmi les jeunes, à se tourner vers la gauche : la corrélation entre le nombre d'actives et ce choix politique semble suivre une certaine logique.

Certaines pasionarias de la scène politique, telles qu'Arlette Laguiller, sont d'ailleurs issues du syndicalisme, luttant à la fois pour « tous les

travailleurs et les travailleuses ». La présence des syndicalistes « sur le terrain » est associée à la lutte féministe depuis le début du siècle mais les femmes commencent depuis peu à se syndiquer massivement et à prendre la parole dans les réunions.

1. Manifestation MLF, novembre 1971. In *Libération des femmes*, Organisation communiste libertaire, Éditions Acratie.

Gisèle Halimi, fondatrice de « Choisir », association en faveur de l'avortement libre, se fait connaître lors du procès de Bobigny, en novembre 1972.

Page suivante : *Arlette Laguiller, une femme de terrain.*

L'influence des déléguées pèse véritablement dans les négociations avec le patronat.

Les femmes sont plus politisées qu'auparavant, paraissent plus sensibles que les hommes aux grandes mutations sociales, aux arguments des pacifistes et des écologistes. Elles tombent moins facilement dans les rets de l'extrême droite. Les femmes sont également plus attentives que l'électorat masculin aux mesures d'ordre social. Lorsqu'elles prennent part à un gouvernement, on leur réserve d'ailleurs les portefeuilles sociaux, culturels ou qui concernent la famille et la santé. Bref, des responsabilités de femme, voire de « super-mère » !

En poste, elles sont généralement plus ouvertes que les hommes au changement ; même lorsqu'elles appartiennent à une famille politique plutôt conservatrice, elles écoutent la clameur de la rue et des femmes qui y sont descendues pour se battre pour leurs droits.

Le MLF a généré plusieurs mouvements et associations de femmes, dont, en 1973, le Mouvement pour la liberté de l'avortement (MLA). Ce groupe agit à la fois dans les quartiers et les entreprises et compte plusieurs médecins parmi ses militants les plus actifs. En attendant que les politiques se décident à autoriser l'IVG, ils pratiquent gratuitement l'avortement sur des femmes enceintes de moins de trois mois. Parallèlement, l'avocate Gisèle Halimi – qui a créé « Choisir », sa propre association, en juillet 1971 – vient juridiquement en aide à toute personne accusée d'avortement ou de complicité d'avortement. En novembre 1972, elle a défendu avec succès, lors du fameux « procès de Bobigny », une jeune fille de 17 ans, Marie-Claire Chevalier, inculpée

pour avoir avorté ; sa mère était accusée de complicité : toutes deux ont été relaxées. En mai 1973, Gisèle Halimi défend Annie Ferrey-Martin, une gynécologue traînée en justice pour avoir pratiqué un avortement sur une mineure. Le 5 février 1973, 331 médecins soutiennent le mouvement des femmes et se déclarent en faveur de l'avortement.

La mobilisation populaire est telle que les politiques doivent bientôt céder.

En 1974, répondant à sa manière au MLF, Valéry Giscard d'Estaing innove en créant un secrétariat d'État à la Condition féminine, et en confie la responsabilité à Françoise Giroud. Il nomme également Simone Veil ministre de la Santé : cette inconnue de 47 ans, membre de l'UDF, est une juriste brillante (avant son entrée en fonction, elle est secrétaire générale du Conseil supérieur de la magistrature) et une femme à poigne. Elle ne tarde pas à se faire connaître du grand public qui la plébiscite rapidement dans tous les sondages. Elle est incontestablement la plus qualifiée, en tant que femme, mère de trois enfants et ancienne déportée, pour traiter l'épineux dossier de la légalisation de l'avortement.

En 1975, elle parvient à faire adopter la loi qui libéralise cet acte, s'attirant la haine des ultra-conservateurs et la reconnaissance de la grande majorité des Françaises : le principe est judicieux, puisqu'il est supposé suspendre pour cinq ans les quatre paragraphes du Code pénal qui font de l'avortement un délit. Mais après 1980, l'interruption volontaire de grossesse restera toujours un des droits féminins fondamentaux...

D'autres progrès marquent cette année 1975 : la discrimination sexuelle à l'embauche est interdite, et le divorce par consentement mutuel est adopté.

En 1981, François Mitterrand – élu président avec un électorat largement féminin – transforme le secrétariat d'État aux femmes en ministère des Droits de la femme, dont il confie la responsabilité à Yvette Roudy. Durant cinq ans, elle s'attache à essayer de réduire les inégalités entre hommes et femmes dans l'entreprise et entre filles et garçons à l'école. En 1983, elle fait adopter une série de mesures antisexistes destinées au monde professionnel. Mais trois ans plus tard, ce ministère disparaît, l'ancien secrétariat d'État reprenant ses fonctions. Point trop n'en faut...

La lutte pour les droits de la femme semble être passée de la rue à l'As-

semblée. Les féministes à la mode MLF sont tombées en désuétude alors même que les femmes entraient en politique. Mais cette nouvelle voie est tout aussi ardue. Elles ont fort à faire pour être respectées par leurs collègues masculins...

LES FEMMES DANS L'ARÈNE

En 1981, le vote des femmes a rattrapé à gauche celui des hommes. À partir de 1986, il le dépasse. François Mitterrand en bénéficie plus encore en 1988 qu'à sa première élection. Son électorat féminin est recruté parmi les actives, toutes catégories socio-professionnelles confondues : ouvrières, employées ou cadres. Les femmes commencent à lorgner sérieusement du côté du pouvoir et à briguer de hautes fonctions politiques. Les gouvernements de Pierre Mauroy puis de Laurent Fabius leur confient de grandes responsabilités. En 1984, un cap est franchi avec la nomination d'Edwige Avice au secrétariat d'État à la Défense et de Geor-

- **Février 1969** : *Golda Meir, 71 ans, devient Premier ministre d'Israël.*

- **1970** : *Simone Veil est la première femme secrétaire générale du Conseil supérieur de la magistrature.*

- **Mai 1970** : *publication d'un numéro spécial de* L'Idiot international, *intitulé* Le torchon brûle : *c'est la première publication française consacrée au mouvement des femmes et dont la rédaction est assurée par elles-mêmes.*

- **Novembre 1970** : *les états généraux du magazine* Elle *sont perturbés par des militantes féministes.*

- **Automne 1971** : *création du mouvement « Choisir », par Gisèle Halimi.*

- **20 novembre 1971** : *première manifestation publique menée par le MLF.*

- **1972** : *le rapport Simon sur la sexualité révèle que 50% des Françaises s'estiment sexuellement insatisfaites.*

- **1974** : *Arlette Laguiller est la première femme candidate à l'élection présidentielle en France. Fondation de la Ligue du droit des femmes, par Simone de Beauvoir, pour lutter contre toutes les violences perpétrées contre les femmes. Création de la maison d'édition « Des Femmes », rattachée au groupement MLF « Psychêpo ».*

- **11 novembre 1974** : *le débat sur l'avortement est ouvert à l'Assemblée nationale.*

- **1975** : *grâce à Simone Veil, ministre de la Santé, les contraceptifs sont remboursés par la Sécurité sociale et les mineures peuvent y avoir recours sans l'autorisation de leurs parents. C'est l'« Année de la Femme », décrétée par l'ONU en réponse aux mouvements féministes internationaux. Margaret Thatcher est la première femme à la tête d'un grand parti : elle est présidente du parti conservateur anglais. Les militantes féministes protestent contre la vogue du « porno » ; des Allemandes vont jusqu'à perpétrer des attentats dans les sex-shops.*

*Alain Juppé et ses « juppettes »,
en 1995 : un gouvernement
au féminin, malheureusement
bien éphémère.*

gina Dufoix en tant que porte-parole du gouvernement.

Mais elles s'imposent toujours plus par leurs compétences que par la voie électorale.

En 1986, le nombre de femmes à la tête du gouvernement s'amoindrit considérablement. Jacques Chirac s'entoure de quatre femmes, dont une seule est ministre : Michèle Barzach, à la Santé. Un an plus tard – avec une détermination qui la rend pour certains comparable à sa distinguée collègue Simone Veil – elle investit toute son énergie dans une campagne contre le sida.

En 1989, Catherine Trautmann, devenue maire de Strasbourg, crée

un précédent : elle est la toute première femme à diriger une ville de plus de 100 000 habitants. Entre deux « cohabitations », c'est une femme que le président choisit pour Premier ministre : Édith Cresson ne résistera qu'un an à cette fonction « à hauts risques », placée sous les feux croisés de ses propres détracteurs et de l'opposition. Ses confrères n'hésitent pas plus à l'apostropher de manière peu courtoise que les agriculteurs à lui jeter des tomates à la tête. Bousculée, poussée à bout, la « Première ministre » lâche parfois des déclarations maladroites dont les médias se régalent. Ils ne sont pas les seuls. La nomination d'Édith Cresson, qui avait d'abord été porteuse d'espoir pour les femmes, aura finalement davantage conforté les misogynes dans leur opinion...

L'hémicycle est une véritable arène où les hommes font payer le prix fort aux audacieuses, n'hésitant pas à leur lancer les saillies les plus graveleuses, relevant d'une misogynie malheureusement très banale : « Une fois effacé le vernis du politiquement correct, les types se lâchent et les insultes dont les femmes font les frais dérapent systématiquement dans le fantasme sexuel.[1] »

On fait pourtant beaucoup d'efforts pour n'être pas taxé de sexisme. Alain Juppé, Premier ministre et président du RPR, a même placé une dizaine de femmes dans des petits ministères et secrétariats d'État. Effort louable, mais très éphémère. Quelques mois plus tard, le 7 novembre 1995, les « juppettes » sont renvoyées dans leurs pénates.

Les femmes doivent donc trouver le moyen de s'imposer autrement, en faisant adopter des mesures radicales. Le paysage politique français est trop figé : toujours les mêmes candidats aux présidentielles, toujours les mêmes à faire barrage aux nouveaux arrivants, surtout si ce sont des femmes... Sexisme et conservatisme vont de pair. Le « forcing » paraît nécessaire.

En 1995, est installé l'Observatoire de la parité, chargé de recenser les inégalités entre hommes et femmes. En juin 1996, est signé le « Manifeste des Dix pour la parité » : dix femmes politiques revendiquent un quota égal d'hommes et de femmes dans les partis, à l'Assemblée et au gouvernement. Cette notion de « parité » est calquée sur le système américain de l'« affirmative action » (originellement destiné à encourager les employeurs à embaucher un certain quota de Noirs, dans l'espoir de faire évoluer les mentalités et de contrer les mauvais – mais traditionnels – réflexes dans ce domaine), le racisme et le sexisme procédant de la même attitude hostile. Cette démarche aboutit en novembre 1998 : les députés adoptent, à la majorité absolue, le projet de révision constitutionnelle qui stipule qu'hommes et femmes sont désormais politiquement égaux dans les mandats électoraux et dans leurs fonctions électives.

Dans le domaine du droit et de la politique, le statut de la femme évolue donc à grands pas. Tant et si bien que certaines femmes politiques, parvenues à une fonction importante, considèrent désormais le combat féministe comme anecdotique. Martine Aubry, ministre de l'Emploi et de la Solidarité, grande ordonnatrice des « 35 heures » et pressentie – « autant qu'un homme », disent les médias – pour un futur poste de Premier ministre, adopte sur ce problème une position plus pragmatique que militante : « J'ai longtemps été défavorable à la politique des quotas ou à la parité inscrite dans la Constitution. Il faudra pourtant s'y résoudre si on n'avance pas suffisamment vite[2] ». Dont acte. Addeline Hazan, conseillère de la ministre, ajoute : « Martine fait partie de ces femmes qui n'ont jamais souffert de la discrimination dans leur vie personnelle et professionnelle. Elle a donc longtemps été réticente aux quotas[3]. » D'autres au gouverne-

- **1979** : Margaret Thatcher est devenue Premier ministre de Grande-Bretagne.

- **1980** : Vigdis Finnbogadottir est la première femme au monde présidente de la République, élue par le peuple islandais.

- **1981** : Arlette Laguiller, Marie-France Garaud et Huguette Bouchardeau sont candidates aux élections présidentielles. Yvette Chassagne est la première femme préfet, dans le Loir-et-Cher.

- **1982** : l'avortement est remboursé par la Sécurité sociale.

- **8 mars 1982** : la « Journée de la femme » est adoptée.

- **1983** : dans la ville de Saint-Flour, une femme, tondue en 1944 et séquestrée depuis cette époque par sa famille, est découverte et délivrée par les gendarmes.

- **29 décembre 1983** : la loi de finances française élimine la notion de « chef de famille » en droit fiscal. La signature des deux conjoints est obligatoire pour valider la déclaration annuelle des revenus.

- **1986** : Corazon Aquino est élue présidente des Philippines.

- **1988** : la Pakistanaise Benazir Bhutto devient Premier ministre ; elle est la première femme à diriger un pays musulman.

- **1989** : Benoîte Taffin est la première femme maire d'un arrondissement parisien (le IIe).

- **1991-1992** : Édith Cresson est la première femme française Premier ministre.

- **Novembre 1998** : le projet de révision constitutionnelle est adopté à la majorité absolue : hommes et femmes sont politiquement égaux dans les mandats électoraux et toutes les fonctions électives.

Page suivante : *Martine Aubry à l'Assemblée nationale.*

1. Cf. Frédérique Bredin : *Députée : journal de bord*, Fayard, 1997.

2. Cf. *Il est grand temps*, Martine Aubry, Éditions LGF, 1997.

3. Cf. *Le Monde*, mercredi 6 décembre 1998.

ment, telles qu'Élisabeth Guigou, Ségolène Royal ou Marie-Georges Buffet, traitent au contraire la question des femmes comme un dossier politique à part entière, n'ayant probablement pas vécu d'une manière aussi sereine leur parcours professionnel dans un univers essentiellement masculin.

Parmi les politiques, les femmes d'aujourd'hui sont – de l'avis même de leurs confrères – particulièrement déterminées, n'hésitant pas à « aller au charbon » sur les questions les plus délicates. En novembre et décembre 1998, ce sont bien deux femmes, Christine Boutin et Roselyne Bachelot, qui se sont affrontées dans l'hémicycle sur la question du PACS. Ce duel est significatif à plus d'un titre : il oppose deux femmes idéologiquement aux antipodes l'une de l'autre mais appartenant à la même famille politique, qui n'hésitent pas à prendre position de manière indépendante de leur groupe politique, sur un sujet qui remet en cause l'ordre familial traditionnel.

Dans le même temps, aux États-Unis, le couple Clinton affrontait le scandale Monica Lewinsky. Paradoxalement, l'image d'Hillary Clinton s'en est trouvée raffermie, faisant d'elle un personnage politique de premier plan et un candidate crédible à la fonction suprême.

L'Europe pourrait bien fournir aux femmes politiques françaises l'occasion de s'imposer enfin et de lutter plus efficacement pour ces droits et libertés. Simone Veil l'a compris, qui est devenue présidente de l'Assemblée européenne. D'autres l'ont suivie à Strasbourg. De là-bas, le monde politique paraît plus ouvert et les perspectives plus larges.
Histoires à suivre.

• *Prénoms :* Laure, Constance, Elsa, Vanessa.

• *Situation familiale :* grande vogue du concubinage. 7 % des enfants naissent hors mariage. En dix ans, le nombre des divorces et séparations a doublé.

• *Âge au premier mariage :* 22 ans.

• *Nombre d'enfants par femme :* 2,24.

• *Professions :* médecin, assistante sociale, secrétaire bilingue.

• *Lectures et magazines préférés : Louisiane, Les Mots pour le dire, Les oiseaux se cachent pour mourir.* Revues : *Cosmopolitan, 20 ans, Biba.*

• *Films et feuilletons préférés : Love Story, Saturday Night Fever, Nous nous sommes tant aimés.* TV : *Drôles de dames, Wonderwoman, Les Dames de la Côte, The Muppets Show.*

• *Chanteurs préférés :* John Lennon, Michel Delpech, Pierre Perret, Sheila, Michèle Torr, Joe Dassin, Michel Polnareff, Jacques Dutronc, Michel Fugain et son Big Bazar, Serge Lama, Nicoletta, Michel Sardou, Mike Brant.

• *Chansons préférées : Chain Of Fools, Imagine, Pour un flirt, Ma gueule, Le Zizi, Les Rois mages, Fais comme l'oiseau, Mammy Blue, La maladie d'amour,* les chansons de *Starmania.*

• *Sports et loisirs :* jogging, yoga, danse moderne.

• *Alimentation :* régimes draconiens et coupe-faim.

• *Soins du corps :* permanentes crantées, brushing, shampooings aux fruits, produits anallergiques, chirurgie esthétique et dentaire.

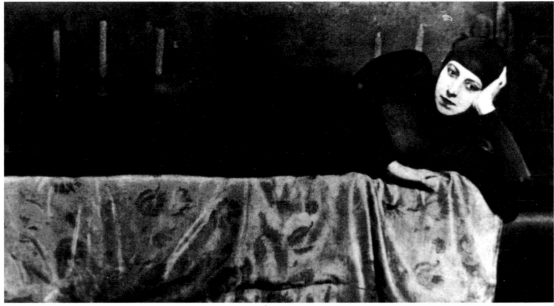

9

RÊVES D'ÉTOILES : L'ÉCOLE DU GLAMOUR

« JE SUIS CAPABLE DE FLANQUER LE FEU À LA PLANÈTE EN RESTANT ADOSSÉE À UN PIANO. »
Ava Gardner

Le XXᵉ siècle n'a pas inventé le rêve, mais il a donné au public féminin des modèles universels d'une portée qu'aucun personnage de roman ni aucune femme célèbre n'aura atteint dans le passé. Les médias de masse – presse, cinéma, télévision – uniformisent les rêves et créent une nouvelle race d'héroïne : la star.

LE JOURNAL D'UNE FILLE PERDUE

Né peu ou prou avec le siècle, le cinéma en aura été sans doute le grand miroir, projetant une image fantasmatique de la femme idéale mais reflétant également les aspirations du public, tant masculin que féminin. Car l'image de la femme au cinéma est d'emblée placée sous ce double angle de vue : la vamp des années 20, la baby-doll des années 50 peut-elle à la fois séduire les hommes et faire rêver les femmes ? L'inverse, en tout cas, est faux : Rudolph Valentino, le grand séducteur du cinéma muet des années 20, était haï par le public masculin...

Les premières stars du muet imposent un modèle qui perdurera jusqu'au milieu des années 30 : celui de la vamp. De Theda Bara, héroïne en 1917 de *Cléopâtra*, qui se vantait, en digne héritière des cocottes 1900, d'avoir ruiné cinquante hommes d'affaires, à Jean Harlow, la blonde platine du Hollywood des années 30, en passant par Greta Garbo dans *La Chair et le diable* (1927) ou Marlene Dietrich dans *L'Ange bleu* (1930). Ces grandes dames du cinéma sont des femmes fatales, des séductrices qui perdent les hommes, des filles déroutées au destin tragique, fascinantes mais irréelles dans une Amérique et une Europe secouées par la crise de 1929.

La crise pourtant, finit par influencer le cinéma, tout autant que l'arrivée du parlant, qui le pousse au réalisme. En 1936, Mistinguett chante pour les grévistes, Chaplin tourne *Les Temps modernes* et le duc de Windsor renonce au trône d'Angleterre, pour l'amour de Wallis Warfield-Simpson.

- **15 mars 1900 :** *Sarah Bernhardt triomphe au théâtre dans* L'Aiglon.

- **1915 :** *la première « vamp » du cinéma, Theda Bara, joue dans* A Fool There Was.

- **17 juillet 1918 :** *la famille impériale russe est exécutée par les bolcheviks. La princesse Anastasia a-t-elle survécu ?*

- **1928 :** *Louise Brooks impose dans* Loulou *sa célèbre coiffure.*

- **1930 :** *la « divine » Greta Garbo crée son personnage de femme fatale dans* La Chair et le diable.

- **1930-1935 :** *Marlene Dietrich tourne sept films d'affilée avec Josef von Sternberg, dont* L'Ange bleu *(1930) et* L'Impératrice rouge *(1934).*

- **29 août 1935 :** *mort de la reine Astrid de Belgique dans un accident. Le roi Léopold III se trouvait au volant de la Torpédo qui, sur la route de Küssnacht en Suisse, a percuté un arbre avant de plonger dans le lac des Quatre Cantons.*

- **10 décembre 1936 :** *Édouard VIII (duc de Windsor) renonce au trône d'Angleterre pour l'amour d'une roturière au passé sulfureux.*

LE GANT DE GILDA

La guerre vient interrompre cette esquisse réaliste et impose, « pour le moral des troupes », un nouveau prototype féminin, la pin-up. De Betty Grable à Ava Gardner, de Rita Hayworth à Lauren Bacall, c'est l'ère du glamour, l'âge d'or des grandes stars d'Hollywood, créatures de rêve sophistiquées, étoiles inaccessibles. Malgré le Code Hays qui prétend freiner l'invasion de l'érotisme dans le cinéma, allant jusqu'à fixer la durée d'un baiser à l'écran, les stars sont plus sensuelles que jamais, ainsi Rita Hayworth dans *Gilda*, qui en ne retirant qu'un gant semble se mettre toute nue. L'Europe ravagée par la guerre découvre à la Libération le cinéma américain et ses rêves de luxe et de volupté. Les hommes démobilisés rêvent de starlettes aux mensurations sans cesse plus affriolantes, et découvrent à la maison des femmes qui ont dû prendre les rênes du pays. Le mouvement interrompu par la guerre se redessine très vite, alors qu'un fossé se creuse entre ces deux images de la femme, présentes dès le début du cinéma : d'un côté la star

À 36 ans, Garbo décide d'arrêter de tourner, incarnant à jamais la star inaccessible et rêvée.

À droite : Joséphine Baker, la star des Folies-Bergères dans les années 30, audacieux mélange d'érotisme, d'exotisme et d'humour.

Est-ce la fin d'une époque ? Jean Harlow disparaît l'année suivante, et avec elle la vogue des stars en lamé, dévoreuses d'hommes à la ville comme à l'écran.

En France, la grande star du moment est Jean Gabin. En 1938, Michèle Morgan (*Quai des brumes*) et Arletty (*Hôtel du Nord*) composent des personnages féminins dans l'air du temps, réalistes et volontaires, tout comme Vivien Leigh dans le rôle de Scarlett O'Hara de *Autant en emporte le vent* (1939), une jeune étourdie obligée de faire face aux difficultés de la vie et de prendre son destin en main... pour finalement tout perdre.

de rêve destinée aux fantasmes masculins et de l'autre des personnages féminins réalistes, souvent de « fortes femmes » assumant leur destin. Et comme ce mouvement s'amplifie, les stars des années 50 deviennent des femmes au superlatif : des bombes atomiques.

LES HOMMES PRÉFÈRENT LES BLONDES

D'un côté Marilyn, de l'autre Katharine Hepburn... La décennie 1950 s'ouvre, à Hollywood, par le *Boulevard du crépuscule* de Billy Wilder, dans lequel Gloria Swanson compose un personnage tragique de star déchue. Et pourtant, la plus grande star de l'histoire du cinéma va naître – et mourir – entre 1952 et 1962, ouvrant les « années sexy » et devenant à son corps défendant l'une des icônes du siècle. Née Norma Jean Baker, devenue en l'espace d'une séance photo LA pin-up de l'après-guerre, Marilyn Monroe balaye en l'espace de deux films, *Les Hommes préfèrent les blondes* et *Comment épouser un millionnaire*, les stars des années 40 qui partagent l'écran avec elle. Jane Russell, Betty Grable et même Lauren Bacall doivent céder la place à cette bombe de séduction qui ravage tout sur son passage et ravit le cœur des hommes, jusqu'à celui de Kennedy, jeune président d'une Amérique triomphante qui veut imposer au monde un mode de vie consumériste et optimiste. Dans le sillage de Marilyn, les « bombes anatomiques » fleurissent partout dans le monde, de Jayne Mansfield à Mamie Van Doren, de Martine Carol à Gina Lollobrigida, déchaînant les foules et s'attirant les foudres des ligues de vertu. Mais l'époque est aussi celle de grands

personnages féminins, en Amérique comme en Europe, dont la séduction n'est pas l'unique langage. Au début des années 50, la France célèbre Juliette Gréco, Madeleine Renaud ou encore Simone Signoret qui triomphe dans *Casque d'Or* (1952). Quand Marilyn tourne *Sept ans de réflexion*, Simone Signoret incarne l'un de ses plus grands rôles dans *Les Diaboliques* d'Henri-Georges Clouzot (1955).
Déjà, l'âge d'or d'Hollywood et du glamour s'achève. Deux ans après *Fenêtre sur cour*, d'Alfred Hitchcock, Grace Kelly épouse le prince Rainier de Monaco (1956). Et dans *Le Fils de Caroline chérie* (1955), une débutante nommée Brigitte Bardot succède à Martine Carol.

ET DIEU CRÉA LA FEMME

Est-ce la fin d'Hollywood ? C'est en tout cas une ère nouvelle qui s'ouvre, et une autre génération de stars féminines qui envahit l'écran, depuis la fin des années 50 jusqu'au milieu des années 60. Ces déesses du cinéma sont jeunes, fraîches, naturelles. Elles

● *3 juin 1937 : mariage du duc de Windsor et de l'Américaine Wallis Simpson (deux fois divorcée) à Candé, en France.*

● *1938 : Arletty tient la vedette face à Louis Jouvet dans* Hôtel du Nord *et Michèle Morgan dans* Quai des brumes *face à Jean Gabin : « T'as d'beaux yeux, tu sais... »*

● *15 décembre 1939 : première de* Autant en emporte le vent.

● *1946 : Rita Hayworth tourne* Gilda.

● *20 novembre 1947 : mariage de la princesse Élisabeth d'Angleterre en l'abbaye de Westminster, à Londres, avec SAR le duc d'Édimbourg, son cousin.*

● *1949 : Katharine Hepburn et Spencer Tracy partagent l'affiche d'un film au titre éloquent,* Madame porte culotte.

● *1951 : Simone Signoret tourne* Casque d'Or, *de Jacques Becker.*

● *12 juin 1951 : le shah d'Iran, dernier souverain régnant de la dynastie des Pahlavi, épouse la princesse Soraya Sesfandiari. Elle est sa seconde femme car la princesse Fawzia, sœur du roi Farouk, l'a laissé sans descendant.*

● *6 février 1952 : Élisabeth est proclamée reine d'Angleterre. Elle succède à son père, le roi George VI.*

● *1953 : Marilyn Monroe éclipse Lauren Bacall et Betty Grable dans* Comment épouser un millionnaire.

● *2 juin 1953 : couronnement d'Élisabeth II (27 ans), à Londres, en l'abbaye de Westminster. Elle devient reine de Grande-Bretagne et d'Irlande.*

Ci-dessus : *Ava Gardner, l'âge d'or du glamour hollywoodien.*

En 1956, Roger Vadim créé LA femme : « B.B. » devient le grand sex-symbol des années 60, succédant à la plus grande star que le cinéma ait jamais enfantée, Marilyn Monroe.

séduisent par leur spontanéité ou leur candeur plutôt que par le charme sulfureux de leurs appas. Brigitte Bardot conquiert la terre entière et règne sur la décennie dès *Et Dieu créa la femme* de Roger Vadim (1956). Catherine Deneuve impose une beauté de jeune fille sage, tout comme Romy Schneider dans *Sissi impératrice*. Quand Marilyn se suicide – ou est « suicidée » – en 1962, la France vit au rythme des « idoles des jeunes », Sylvie Vartan, Françoise Hardy, Sheila. La jeunesse est à la mode, tant dans la haute couture qu'au cinéma ou dans la chanson. Une jeunesse qui, déjà, manifeste en faveur d'un changement de société. Jeanne Moreau fait scandale dans *Les Amants* de Louis Malle ou vit un amour à trois dans *Jules et Jim*, de Truffaut, Caroll Baker choque l'Amérique entière dans *Baby Doll*, avec un rôle de lolita ingénue et perverse, tandis qu'Anouk Aimée dans *Lola* et Anna Karina dans *Une femme est une femme* annoncent les bouleversements à venir.

Mais la génération qui secoue le Vieux Monde, manifeste contre la guerre du Viêtnam ou descend dans la rue à Paris n'a pas besoin de star. Sylvie Vartan épouse bien bourgeoisement Johnny Hallyday, et Vadim, après Brigitte Bardot, tente vainement de lancer Jane Fonda dans *Barbarella*, une science-fiction érotico-kitsch relookée à la Courrèges qu'elle-même désavouera très vite pour se consacrer à l'action militante. Signe des temps.

LA FIN DES STARS

L'esprit de 68 entraîne des modifications profondes dans la société, une véritable « révolution culturelle » qui balaye les vieilles gloires de la chanson ou du cinéma et impose de nouveaux visages. Mais la révolution est-elle misogyne ? Parmi le flot d'artistes issus de 68, parmi la génération d'acteurs venus du café-théâtre comme Depardieu, Coluche, Dewaere, seule Miou-Miou devient une actrice emblématique, à côté d'une Romy Schneider métamorphosée en 1971 dans *Max et les ferrailleurs*, de Claude Sautet. Les stars, désormais, viennent d'autres horizons : du petit écran, avec les séries cultes *Dallas* ou *Dynasty*, avec ses présentatrices-vedettes comme la « reine » Christine Ockrent ou Dorothée, mais aussi et surtout les mannequins, nouvelles stars planétaires.

Le rêve hollywoodien est terminé.

« Star, ce n'est pas un métier pour une femme, dit Alain Delon. C'est trop dur. Neuf fois sur dix, les stars qui se suicident sont des femmes. »

IL ÉTAIT UNE FOIS...

Les stars de cinéma ne sont pas les seules à faire chavirer les cœurs du sexe féminin. Petite fille, nous avons toutes joué à la princesse, et cet intérêt pour les contes de fées qui finissent bien demeure à l'âge adulte puisque, via les magazines ou les actualités télévisées, nous continuons à nous intéresser aux cours royales. Si, en 1918, l'exécution brutale des Romanov par les bolcheviks choque la terre entière, le destin personnel de la princesse Anastasia sera le feuilleton du début du siècle : a-t-elle oui ou non survécu à la fusillade ? Parmi les « Anastasia » qui, un peu partout en Europe, se font reconnaître de Russes blancs en exil y a-t-il la vraie tsarine ? Certains en restent convaincus. Mais au box-office des cours royales, c'est l'Angleterre qui récolte tous les suffrages, au fil du siècle.

En 1936, les amours de l'Américaine Wallis Warfield-Simpson, deux fois divorcée, et du roi Édouard VIII passionnent l'opinion publique. On critique le passé d'aventurière de celle

À Cannes, les starlettes cherchent encore à se faire remarquer. Mais le rêve hollywoodien semble terminé.

qui aimait à répéter : « On n'est jamais assez mince, jamais assez riche », mais on pleure en entendant la déclaration, reprise par toutes les radios, de celui qui règne depuis un an et abdique en faveur de son frère : « Vous devez me croire. J'ai trouvé impossible de porter un lourd fardeau de responsabilités et d'assumer mes devoirs de roi sans l'aide et le soutien de la femme que j'aime. » Le mariage aura lieu en France au château de Candé et, par la suite, le couple Windsor, banni du Royaume-Uni, se réfugiera dans un hôtel particulier à Neuilly, pour occuper les chroniques mondaines des journaux.

La princesse Margaret provoquera à son tour des torrents de larmes quand elle devra renoncer au bel écuyer Peter Townsend dont elle est éperdument amoureuse. Il est en effet divorcé et, dans les années 50, la cour ne peut tolérer semblable situation. Pied de nez du destin : Margaret divorcera plus tard de son époux Tony Armstrong Jones et les enfants d'Élisabeth II n'échapperont pas à cette situation. Mais rien n'atteindra la ferveur que déclenche, en 1981, le choix de Charles, prince de Galles, pour Lady Diana Spencer devenue une icône du siècle, la « princesse du peuple » Lady Di. Cultivant à la perfection l'image d'une princesse moderne et dévouée aux causes humanitaires, belle et bafouée, manipulée et manipulant, chérie des médias et malheureuse dans sa vie privée, elle possédait tous les atouts pour mettre le monde à ses pieds. Sa mort, à 36 ans, a fait d'elle un mythe pour ne pas dire une sainte. Héroïne et victime, elle incarne un idéal populaire qui, en cette fin de siècle, ne court pas les rues.

LE DRAME SE VEND BIEN

Le monde a, en effet, besoin d'icônes, et des magazines comme *Point de vue, Gala, Paris-Match,* les exposent à l'envi, au fil des pages. Photographiées sur

papier glacé, les célébrités de ce siècle provoquent l'envie ou la frustration mais, en tout cas, ne laissent pas indifférentes les lectrices qui cherchent dans la vie de ces stars à combler ou à expliquer la leur. On plaint la mal-

Page de gauche : *le duc et la duchesse de Windsor, Margaret et son bel aviateur, Peter Townsend : les idylles princières sont des contes pour adultes.*

Ci-dessus et ci-contre : *À la fin des années 80, Stéph' de Monac' émoustille les midinettes en se lançant dans la chanson. Mais la décennie suivante appartient à Lady Di, « Princesse du peuple » au destin magnifiquement tragique.*

Star et princesses ont été supplantées, dans le cœur des petites filles d'aujourd'hui, par les sulfureuses Spice Girls... très logiquement devenues des poupées Barbie.

Qui n'a plaint la pauvre Stéphanie de Monaco trompée par son mari que l'on a incontestablement attiré dans un piège ? Qui n'a admiré Danielle Mitterrand lorsque celle-ci accepte que Mazarine Pingeot, la fille longtemps cachée de François Mitterrand, se tienne à ses côtés pendant les obsèques du président ? Et Hillary Clinton, comment va-t-elle réagir face au scandale Monica Lewinski ? Le malheur a toujours fait pleurer dans les chaumières et la vie moderne ne change rien à ce constat. On a beau défier l'espace, marcher sur la Lune, voyager, travailler, la sensibilité féminine reste inchangée. Est-ce parce que les contes de fées se terminent souvent mal que l'on a besoin de tragédie ? L'accident de voiture qui a coûté la vie à Grace de Monaco ou l'image de Jackie Kennedy, son tailleur rose taché par le sang de son mari que l'on vient d'assassiner sous ses yeux puis, trois jours plus tard, serrant contre elle ses deux enfants derrière le cercueil : tous les détails se rapportant à ces drames ont fait le tour de la planète.

DE L'IMPORTANCE D'UNE POUPÉE

Dans une société en crise où sévit le chômage, les personnes fortunées suscitent elles aussi l'intérêt. Dans le sillage de la malheureuse héritière Christina Onassis, qui ne pourra supporter son existence de pauvre petite fille riche, à l'avisée Ivana Trump, les lectrices rêvent de jets privés, de palais flottants, de villas hollywoodiennes et de mirifiques bijoux. Les magazines « people » dissèquent les liaisons tumultueuses de Madonna ou celles de Sharon Stone, la zizanie dans le couple Bruce Willis-Demi Moore auquel tout semblait sourire. Ils font

heureuse Soraya qui ne peut donner une descendance au shah d'Iran. Après l'avoir répudiée, le monarque se tournera vers une étudiante, Farah Diba, qu'il épousera puis élèvera au rang de chahbanou jusqu'à ce qu'ils soient l'un et l'autre destitués de leurs droits et bannis de leur pays par la révolution islamique.

Quant à l'adultère, même s'il fait peur, il se situe en tête des intérêts.

leurs « unes » avec Jennifer Aniston ou Courtney Cox, de la série culte *Friends*, Alissa Milano de *Melrose Place* ou Lauralee Bell des *Feux de l'Amour*. Après Édith Piaf, sa voix et sa gouaille, son éternelle petite robe noire, ses amours avec le boxeur Marcel Cerdan ou Théo Sarapo dont on discute la jeunesse, ce sera le tour de Dalida, ses paillettes, son attirance pour le comte de Saint-Germain et ses suicides ratés jusqu'à celui qui la hissera parmi les destins brisés de ce siècle.

Mais on ne se passionne heureusement pas que pour les drames ou la vie privée des vedettes. On copie la robe de Sylvie Vartan afin « d'être la plus belle pour aller danser », on se coiffe comme Françoise Hardy. Les adolescentes rêvent de ressembler à Vanessa Paradis ou à la sculpturale Ophélie Winter dont *Salut, OK Podium* ou *Jeune et Jolie* dévoilent les projets et la vie. Sans compter le phénomène Spice Girls qui, au tournant du millénaire, a embrasé la planète. Sexy, avant-gardiste, délurée, leur bande composée d'archétypes de la fin du siècle s'est attiré les suffrages en prônant le « girl power ». Quant aux top models qui, ces dix dernières années ont coiffé au poteau les vedettes de cinéma, il ne se passe pas une semaine sans que soient révélés leurs régimes, leurs loisirs ou leurs mirobolants contrats : Claudia Schiffer, Carla Bruni, Naomi Campbell, Kate Moss brillent au firmament. La première est-elle vraiment fiancée à un célèbre illusionniste ? Doit-on devenir anorexique pour afficher les mensurations de la dernière ? Adulées par les adolescentes qui n'aspirent qu'à leur ressembler, elles déclinent à l'infini l'image de la poupée

1992 CALENDAR

• *29 mai 1982* : mort de l'actrice Romy Schneider (43 ans), à Paris. Elle ne s'est jamais remise du décès accidentel de son jeune fils David.

• *14 septembre 1982* : mort de Grace de Monaco dans un accident de voiture, non loin de la principauté.

• *1983* : Isabelle Adjani resplendissante dans L'Été meurtrier.

• *29 décembre 1983* : remariage (après son divorce) de Caroline de Monaco avec Stefano Casiraghi.

• *1988* : Jodie Foster interprète le rôle d'une jeune femme victime d'un viol dans Les Accusés.

• *1989* : Vanessa Paradis incarne une lolita moderne dans Noce Blanche.

• *1990* : Demi Moore réhabilite la comédie sentimentale dans Ghost.

• *1992* : Sharon Stone choque l'Amérique dans Basic Instinct.

• *1992* : au sommet de sa gloire, Madonna publie Sex, un livre de photos emballé dans une boîte en aluminium.

• *1995* : Mazarine Pingeot révélée à la population française comme la fille de François Mitterrand.

• *Juillet 1996* : les Spice Girls déferlent sur l'Europe avec leur premier hit, Wannabe.

• *31 août 1997* : mort de Diana, à Paris, dans un accident de voiture sous le pont de l'Alma. Son compagnon Dodi Al-Fayed décède à ses côtés.

• *Août 1998* : Hillary Clinton affronte le scandale Monica Lewinski.

Superstar de la fin des années 80, Madonna impose au monde entier une image provocante mais peu innovante.

sonne ne se retournerait plus sur des comédiennes comme Sarah Bernhardt ou la chanteuse Mistinguett – le rêve reste le même. Sortir de l'anonymat, avoir du talent, de l'argent, des amants... S'agit-il de voyeurisme, d'un éternel besoin d'admirer ou tout simplement d'un délassement ? Un mélange des trois, sans doute. À moins que nous ne voulions croire que la femme n'a pas rompu avec les lointaines mythologies et qu'elle est toujours une déesse.

Trop parfaites pour être des modèles réalistes pour les femmes d'aujourd'hui...
Les « tops » Christy Turlington, Naomi Campbell, Elle Mac Pherson et Claudia Schiffer imposent dans les années 90 de nouveaux canons de beauté draconiens.
Au cinéma, seule Sharon Stone (à droite) semble être de taille à lutter contre ces nouvelles stars venues de la mode.

Barbie avec laquelle elles-mêmes jouaient quand elles étaient enfants. Ainsi, autour d'une créature en plastique devenue le jouet le plus vendu du siècle – il s'en vend deux par seconde dans le monde entier –, se cristallisent les fantasmes des unes et des autres. Les concours organisés par les agences et des boîtes de nuit alimentent le fantasme pour, hélas, mieux renvoyer à la réalité. Et si on demande leur avis à des rédactrices de mode, elles avouent que pour rien au monde elles ne voudraient que leurs filles entament une carrière de mannequin. « Pour des milliers qui imaginent pouvoir réussir, celles dont on connaît le nom se comptent sur les doigts des deux mains. »

L'ÉTERNEL MIRAGE

Si les canons de la beauté ont, en cent ans, beaucoup changé – per-

1980

- *Prénoms :* Lætitia, Charlotte, Camille.

- *Situation familiale :* 9 293 600 femmes seules, dont 901 000 divorcées. 11 % des enfants naissent hors mariage. 135 000 mères célibataires.

- *Âge au premier mariage :* 23 ans.

- *Nombre d'enfants par femme :* 1,85.

- *Professions :* médecin, juriste, secrétaire intérimaire, commerciale.

- *Lectures et magazines préférés : La Bicyclette bleue, La Chambre des dames, L'Amant, L'Insoutenable légèreté de l'être, Jamais sans ma fille.* Revues : *Madame Figaro, Prima, Femme Actuelle.*

- *Films et feuilletons préférés : Out Of Africa, 37,2 le matin, L'Été meurtrier, Trois Hommes et un couffin, The Blues Brothers.* TV : *Dallas, Dynasty, Santa Barbara.*

- *Chanteurs préférés :* Michael Jackson, Madonna, Jean-Jacques Goldman, David Bowie, Mylène Farmer, Herbert Léonard, Mireille Mathieu, Julio Iglesias, Renaud, Alain Souchon et Laurent Voulzy.

- *Chansons préférées : Thriller, Let's Dance, Like A Virgin, Je chante avec toi liberté, Pour le plaisir, La Paloma Adieu.*

- *Sports et loisirs :* planche à voile, aérobic, musculation, vidéo, jeux électroniques.

- *Alimentation :* nouvelle cuisine, aliments surgelés et sous vide, diététique, produits bio et végétariens

- *Soins du corps :* Collagène, médecine esthétique, UV.

10

ARRÊTEZ-VOUS! PENSEZ ENFIN A VOUS...

VOS GARANTIES:

GITANES...
quel délice !

Elle savoure
son excellente GITANE.

Un harmonieux mélange
de plus de dix espèces
de tabacs de choix
fait de la GITANE Caporal
avec ou sans filtre
une cigarette racée
à l'arome fin
et vigoureux.

AVEC FILTRE 115ᶠ
SANS FILTRE 110ᶠ

Le savon Charmis
supprime la cause des
odeurs corporelles !

Fraîche et séduisante
toute la journée...

FILLES DE PUB, LES OTAGES DU DÉSIR

« UN SIMPLE ASSORTIMENT DE RÊVES SANS LES ASSOCIATIONS D'IDÉES DU RÊVEUR, SANS CONNAÎTRE LES CIRCONSTANCES DANS LESQUELLES ILS SURVIENNENT, NE M'INTÉRESSE GUÈRE, ET J'IMAGINE DIFFICILEMENT QU'ILS PUISSENT INTÉRESSER QUI QUE CE SOIT. »
Sigmund Freud, à André Breton

La publicité est fille du XXᵉ siècle. Jamais auparavant l'information n'a circulé aussi bien ni aussi vite. Les héritiers de la révolution industrielle ont appris à maîtriser leur temps et leur espace, délivrant des messages de plus en plus rapides et précis. L'apparition d'une culture de masse et de la société de consommation a précipité cette évolution...

Dans ce paysage médiatique de plus en plus vaste et coloré, se profilent des silhouettes de femmes. Filles de pub, créatures chargées de susciter de nouveaux besoins, d'inspirer le désir et le rêve. Des « filles publiques », cover-girls inaccessibles, images de papier glacé, poupées virtuelles, que l'on convoite ou auxquelles on s'identifie en pure perte. Cette femme factice, issue de nos fantasmes de possession, s'est peu à peu adaptée à notre réalité, négatif parfait d'un quotidien idéalisé. Par-delà le miroir, les filles de pub nous observent et nous imitent, leur histoire agit en révélateur de la nôtre... essentiellement réécrite par des hommes, les créatifs publicitaires.

DES JEUNES FILLES TROP RANGÉES

Au début du siècle, la publicité fait déjà partie intégrante du décor : affiches dans les rues, annonces et réclames dans les magazines. La femme y tient une place d'autant plus importante qu'elle est une cible prioritaire pour les publicitaires : qu'elle tienne ou non les cordons de la bourse, c'est bien elle, la fée du logis, qui achète et jette son dévolu sur les produits de consommation courante ou sur les produits ménagers. Priorité est donc donnée à l'icône fort convenable de la femme rangée, généralement représentée dans une attitude très figée. Mais elle n'est parfois présente qu'à titre d'évocation, tandis que le texte de l'annonce – ou le produit lui-même – lui vole la vedette. L'image désincarnée d'un visage féminin peut alors être suffisante...

Durant la Première Guerre mondiale, la femme acquiert un tout autre statut : elle agit, enfin. Apparaissent alors de nouvelles images, où l'on voit que les femmes ont investi le monde du

- **21 août 1906** : naissance de Marcel Bleustein-Blanchet.

- **1906** : la Belle Otero est représentée sur la publicité pour le corset N.D, « changeable et interchangeable », facile à ôter pour les coquines... Tandis que l'image de sa consœur, Polaire, vante les mérites des corsets Baleinine. Les demi-mondaines, filles publiques, sont aussi « filles de pub » !

- **1923** : première publicité aérienne pour Citroën.

- **1926** : M. Bleustein-Blanchet crée l'agence Publicis.

- **1935** : création du Bureau de vérification de la publicité (BVP).

- **1937** : Arletty incarne la beauté et la pureté pour la crème « Beauté du teint » de Maxence. Ginger Rogers est le visage de la ligne de maquillage Max Factor.

- **24 mai 1951** : une loi autorise la publicité à la radio publique.

Icône début de siècle ou pin-up façon « repos du guerrier », les filles des réclames sont modelées par l'imaginaire masculin.

travail. Elles sont désormais aussi indispensables à l'industrie qu'au sein de leur foyer, et bien obligées d'assumer les deux. En ces temps troublés, la ménagère est surtout une patriote, figure maternelle qui incarne aussi la notion de fraternité, exploitée par les affichistes : pour servir son pays, elle doit s'associer à ses compagnes d'infortune, l'effort ne portant ses fruits que dans l'union. Fleurissent alors des affiches qui glorifient la gent féminine dans son ensemble, sa dignité et son cœur à l'ouvrage. La femme est perçue et représentée comme une héroïne, une Jeanne d'Arc moderne. Mais on aime aussi la voir sous un jour moins guerrier, plus archétypique : celui d'une féminité très traditionnelle, fragile et soumise à l'homme.

CHARME ET POSSESSION

Cette femme dévouée corps et âme, qu'elle soit douce ou ardente au travail, est supplantée après la guerre par l'image de beautés nettement plus « piquantes » et individualistes. Les femmes ont appris l'autonomie, elles ont littéralement fait leurs « premières armes » dans beaucoup de domaines professionnels autrefois réservés aux hommes. Cette évolution va de pair avec le développement de l'économie de consommation et influence très fortement les stratégies publicitaires qui cherchent à récupérer les notions de modernisme, de nouveauté, d'efficacité et de dynamisme désormais caractéristiques de l'univers féminin. « Elles » sont absolument partout, vantant les mérites des produits les plus divers, des toutes nouvelles serviettes hygiéniques Kotex (« Une parfaite liberté tous les jours ! », promet le slogan) aux cigarettes ou aux voitures.

La « fille de pub » moderne est née : séductrice et omniprésente. On la croque en mouvement, faisant du sport, jouant au golf, mondaine et affairée, à la mode garçonne, la publicité – hors produits de consommation courante – s'adressant principalement à une frange plutôt aisée de la population. Sur les murs s'étalent des affiches de plus en plus grandes, qui ne doivent plus seulement être remarquées par les passants, mais également par les automobilistes, progrès oblige ! Le discours de la pub s'est modifié ; on ne cherche plus seulement à enfoncer la concurrence mais surtout à susciter de nouveaux besoins chez le consommateur... Et la consommatrice est invitée à s'identifier aux créatures publicitaires en achetant les produits qui deviennent leurs attributs. Pour la première fois, le rêve a un visage.

Dès lors, la publicité rend chaque produit unique et indispensable. Pour être comblé, il faut posséder. Le bien-être. La femme. Et vice versa.

POUR VOTRE TOILETTE, MADAME.

On ne donne pas la beauté à la femme, qui est elle-même toute la beauté, on se contente de la servir, c'est la loyale prétention de la Crème de Toilette Malacéine, dont la rapide propagation s'est faite par ses qualités.

LE REPOS
DU GUERRIER...

Jusqu'à la Seconde Guerre mondiale, ces représentations féminines restent malgré tout très stéréotypées : la beauté et le plaisir sont associés à la féminité ; la probité et le travail, à la maternité. On évite soigneusement d'évoquer la vieillesse ou la pauvreté, sans parler des différences ethniques... Lorsque le conflit éclate, on assiste au même glissement sémantique que pendant la Grande Guerre : la propagande fait réémerger les vieux principes et leurs symboles. La femme est rappelée à son foyer et les enfants dans le giron maternel. Le gouvernement de Vichy instaure la Fête des Mères. L'heure n'est plus au désir de luxe. Les bouleversements économiques et culturels n'incitent pas au grandiose.

La publicité, durant la période de reconstruction, donne à voir un nouveau modèle de femme, pur produit de la guerre et des émotions qui en découlent : celle qui serait, au sens strict du terme, le « repos du guerrier ». Une femme créée pour le seul plaisir du soldat redevenu l'amant ou l'époux, très soignée et toujours souriante. Qu'elle incarne la femme au foyer ou la créature de rêve, qu'elle soit sage ou délicieusement glamour, elle doit lui être soumise. Hors de ce schéma, point de salut, c'est une fille perdue pour tout le monde, y compris pour les publicitaires... Aux États-Unis, à la fin des années 50, ce stéréotype fait la gloire des « soap operas », des feuilletons à l'eau de rose essentiellement destinés à promouvoir des marques de lessive ou d'autres produits ménagers, près de 30 % du temps de l'émission étant consacrés à la diffusion de spots publicitaires. La pub se met à imiter la vie, à la réinterpréter à sa manière. Les ménagères vivent au rythme des épisodes, repassant du linge ou ravaudant des draps devant la télé, suivant les périples de leurs héroïnes toujours impeccables, souvent malmenées par les hommes mais invariablement enamourées... Ces « belles plantes » admirablement émotives et respectueuses du mâle inaugurent une nouvelle ère publicitaire : le mannequin publicitaire lui-même est devenu un objet de consommation. Objet de l'admiration des spectatrices, objet d'exploitation commerciale. Les « filles de pub » sont des modèles auxquels les femmes tentent de ressembler. Le rapport s'inverse : cette fois, la vie tente d'imiter la pub... L'univers des publicitaires est évidemment fascinant : toujours renouvelé, sans passé ni avenir, parfaitement maîtrisé, comme une sorte de monde parallèle idéalement enraciné dans le présent. La publicité devient donc référentielle, et la société s'y contemple par

• 1958 : Ludmilla Tcherina est l'image du savon Lux : « Dans l'intimité, la vedette, c'est vous ! », promet le slogan...
La marque de lingerie Star lance un « teasing » plutôt osé : « Avez-vous le droit de le tromper ? » demande un premier panneau. Réponse dans l'annonce suivante : « Vous n'avez pas le droit de le tromper... mais vous avez le devoir de le séduire ! » avec les bustiers Star...

• 1969 : création par décret de la Régie française de publicité (RFP).

• 1973 : le top model Lauren Hutton signe un contrat d'exclusivité avec les cosmétiques Revlon estimé à 4 millions de francs.

• 29 décembre 1979 : loi réglementant l'affichage dans un but de protection du cadre de vie et de l'environnement.

• 1985 : lancement de la campagne « United Colors of Benetton ».

• 1986 : la RFP est remplacée par la CNCL (Commission nationale de la communication et des libertés).

• 1988 : Naomi Campbell est le premier mannequin noir à faire la couverture du Vogue français et américain. L'ostracisme racial dans la pub et les magazines féminins est son cheval de bataille.

• 1989 : le top model Paulina Poriskova touche 30 millions de francs pour représenter les cosmétiques Esthée Lauder. Ce contrat d'exclusivité ne nécessite qu'une soixantaine de jours de travail par an.

À partir des années 50, c'est le mannequin publicitaire qui devient lui-même un objet de consommation et d'exploitation commerciale.

Entre la ménagère et la fille du Crazy, l'épouse ou la maîtresse, le cœur des publicitaires balance.

Page suivante : quinze ans après « Myriam », les filles de pub se rebiffent.

effet de miroir. Pour preuve, la vogue publicitaire des femmes-enfants, au moment précis où la génération du baby-boom parvient à l'adolescence...

LE LANGAGE DU DÉSIR

La ménagère flanquée de ses deux enfants « réglementaires », à laquelle la pub des années 50-60 a rendu un hommage appuyé, est débordée par les filles éthérées récemment pubères des années 70. La révolution sexuelle et la contraception aidant, l'image de la maternité n'est plus vraiment porteuse. Le public veut du sexy, du léger, de la couleur et de la fantaisie. Les « filles de pub » charment par le contraste entre leur apparence vulnérable et leur fausse ingénuité. Dès lors, cohabitent deux stéréotypes féminins : la mère de famille et le mannequin de mode. Ils représenteront jusqu'à nos jours des constantes de l'univers publicitaire. En attendant, la pub est entrée dans tous les foyers et phagocyte chaque minute du quotidien. Les messages se multi-

plient, se déclinent sur les supports les plus hétéroclites. La pub gagne ses lettres de noblesse en tant que phénomène de société. Les arts graphiques ont la cote, et parmi eux, le dessin publicitaire. La pub n'est plus seulement une nécessité commerciale, mais un véritable moyen d'expression original et libre. La « fille de pub » en est la muse, créature fantasmatique dont la fonction, attiser le désir, est de plus en plus ostentatoire : on la déshabille, on l'érotise, quelquefois à outrance. Sa nudité est perçue comme le signe extérieur d'un bien-être déconnecté de toute contrainte sociale. La « fille de pub », plus que n'importe quelle femme de chair et de sang, s'affirme libérée. La pub a fait sa propre révolution.

SEXE ET MENSONGES

Choc en retour à la décennie suivante. Où l'on s'aperçoit que la pseudo-libération de ces « filles virtuelles » n'est que mensonge éhonté et allégeance inconditionnelle au regard masculin. Dans les Salons de l'Automobile, des hôtesses s'alanguissent sur le capot des véhicules ; le symbole freudien n'a jamais été aussi évident : le mannequin en appelle à la libido de l'acheteur potentiel et la voiture fait directement référence à la puissance virile. La pub est illusoire.

Le public se méfie, agressé par la multitude d'annonces. Les publicitaires doivent dédramatiser leurs créations et regagner de la crédibilité. En 1981, c'est l'événement « Myriam », initié par l'agence CLM/BBDO : à la fin de l'été, le mannequin Myriam, en Bikini sur fond de plage, mains sur les hanches, promet d'enlever « le haut » le 2 septembre. Puis « le bas » deux jours plus tard. Ce qu'elle fait... de

LE 4 SEPTEMBRE J'ENLEVE LE BAS.

dos. On découvre alors le slogan et l'annonceur : « Avenir, l'afficheur qui tient ses promesses ». C.Q.F.D., l'humour en prime. Mais le public n'est pas seulement désenchanté, il est également submergé par des images de moins en moins flatteuses de l'univers féminin. Des filles nues pour vendre n'importe quoi, même quand rien ne le justifie. Le spectateur s'est transformé en voyeur. Le « teasing » version « Myriam » dérape façon peep-show. L'émergence du Minitel n'arrange rien : les pubs « sauvages », violemment érotiques, conçues pour la promotion des messageries – « roses », pour la plupart – contribuent à alourdir l'atmosphère.

retouche d'images assistées par ordinateur. Les « filles de pub » en tenue d'Ève sont des créatures de rêve, corps sublimé jusqu'à la désexualisation. Le désir qu'elles inspirent s'est déplacé, de la libido à l'imaginaire. Une bouffée de plaisir dans la société en crise. Tous les défauts des belles sont gommés. On n'hésite pas à créer des femmes totalement virtuelles, reconstituées grâce aux visuels d'éléments corporels « volés » à plusieurs mannequins. Les publicitaires ont appris à transcender les interdits. Des

« LE MONDE EST BEAU »

Les années 90 renouent avec plus de douceur et de subtilité.
La pub est illusion.
Les créatifs jouent les apprentis sorciers. Ils veulent privilégier la beauté, faire renaître la magie. De récentes technologies le leur permettent. La nudité de leurs nouvelles égéries perd toute crudité grâce aux méthodes de

TATJANA CAN'T WAIT TO TEST THE CORSA'S ALL ROUND SAFETY CAGE.

STOP EXPLOITING WOMEN

sois bien. sois mal. sois toi.

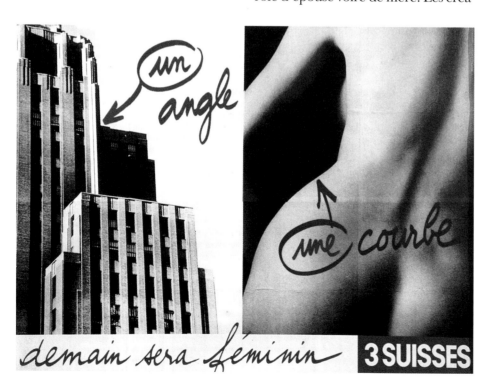

un angle

une courbe

demain sera féminin   **3 SUISSES**

femmes enceintes n'ont plus honte d'exposer leur nudité. Le photographe Toscani, pour Benetton, ose tout : des mannequins de toutes origines, des malades du sida, des religieux, des homosexuels, des handicapés mentaux... tous les tabous sont abattus. Dans ce monde réinventé, la femme trouve enfin sa place : la publicité lui accorde une âme. À la télévision, Nescafé exploite l'image désormais classique du couple divorcé qui partage la garde des enfants, et diffuse toute une série de spots relatant leur histoire : c'est le premier feuilleton publicitaire. Frustration, tension, réconciliation, tendresse, amitié amoureuse... L'homme et la femme, d'un épisode à l'autre, traversent les mêmes étapes affectives qu'une grande partie des téléspectateurs, mais toujours autour d'une apaisante tasse de café. Nostalgie du foyer trop souvent éclaté... Cette femme divorcée est une beauté froide, amère : parce qu'elle est celle qui n'est plus là, qui a refusé d'assumer plus longtemps – à tort ou à raison, peu importe – son rôle d'épouse voire de mère. Les créa-

tifs ne peuvent pas s'empêcher de laisser s'exprimer leur affect ! Et le public les suit. Moulinex n'accepte la femme libérée des tâches ménagères que sous couvert d'humour, et à condition que sa petite famille soit d'accord : pour le dîner, elle peut laisser mari et enfants se débrouiller, ils ont le robot et son mode d'emploi pour la remplacer... Le message serait cruel s'il n'était drôle. La « fille de pub » doit être amusante, intelligente, active, belle et charmeuse. Les vieux clichés reviennent à la charge, mais sont habilement détournés : quand Eva Herzigova montre ses seins pour Wonderbra, elle enjoint, amusée, le spectateur de la regarder dans les yeux... Même le strip-tease évite d'être graveleux : la campagne Aubade, qui montre des poitrines et des fesses en gros plan et en plusieurs « leçons » d'effeuillage, présente un corps de femme qu'on ne voit jamais dans son intégralité. Cette « fétichisation » presque innocente de la féminité évite la focalisation brute sur l'idée de sexe. Les rapports avec le masculin sont également bouleversés : le mâle dominateur s'efface au profit d'une virilité plus « soft ». L'homme a des sentiments, des faiblesses charmantes, des préoccupations et des attentions touchantes. La pub le déshabille aussi, mais toujours sous couvert d'humour ou de tendresse, par exemple, pour lui mettre un bébé dans les bras...

Les « filles de pub » partent à la conquête du troisième millénaire. Remodelées à la perfection, d'un érotisme irréel et totalement cérébralisé, elles évoluent avec grâce dans leur cyber-univers.

Un monde lointain et idéal devenu le bien de consommation ultime. Un monde de paix et de sérénité, vierge de toute pollution et de toute violence.

Utopie à vendre...

1990

- *Prénoms :* Manon, Charlène, Morgane.

- *Situation familiale :* en région parisienne, un mariage sur deux s'achève par le divorce, et un sur trois en province. 3 674 000 femmes seules, dont 1,2 million de divorcées. 30 % des enfants naissent hors mariage. 978 000 Françaises sont des mères célibataires ou divorcées.

- *Âge au premier mariage :* 26 ans.

- *Nombre d'enfants par femme :* 1,70.

- *Professions :* télé-travail et travail à mi-temps, employée du tertiaire.

- *Lectures et magazines préférés :* L'Alchimiste, La Petite Marchande de prose, La Première Gorgée de bière. Revues : *Gala, DS, Voici.*

- *Films et feuilletons préférés :* Titanic, Pretty Woman, *The Full Monty, La Vie est belle, Adieu ma concubine.* TV : *Friends, Absolutely Fabulous, Le Comte de Monte-Cristo, Les Feux de l'amour.*

- *Chanteurs et chansons préférés :* Céline Dion, Patrick Bruel, Florent Pagny, Pascal Obispo, Patricia Kaas, MC Solaar, 2B3, Axelle Red, Spice Girls, Johnny Hallyday.

- *Chansons préférées :* My Heart Will Go On, les chansons de la comédie musicale *Notre-Dame de Paris, Casser la voix, Tombé pour elle, Je t'attends, Pour que tu m'aimes encore.*

- *Sports et loisirs :* gymnastique douce, tai-chi-chuan, thalassothérapie, roller-blade, voile, Internet.

- *Alimentation :* produits bio, « world » cuisine, « junk food », produits lactés, cocktails de vitamines en tout genre.

- *Soins du corps :* chirurgie esthétique, phytothérapie, drainages lymphatiques, cosmétiques « antipollution » et « anti-UV », régimes protéinés.

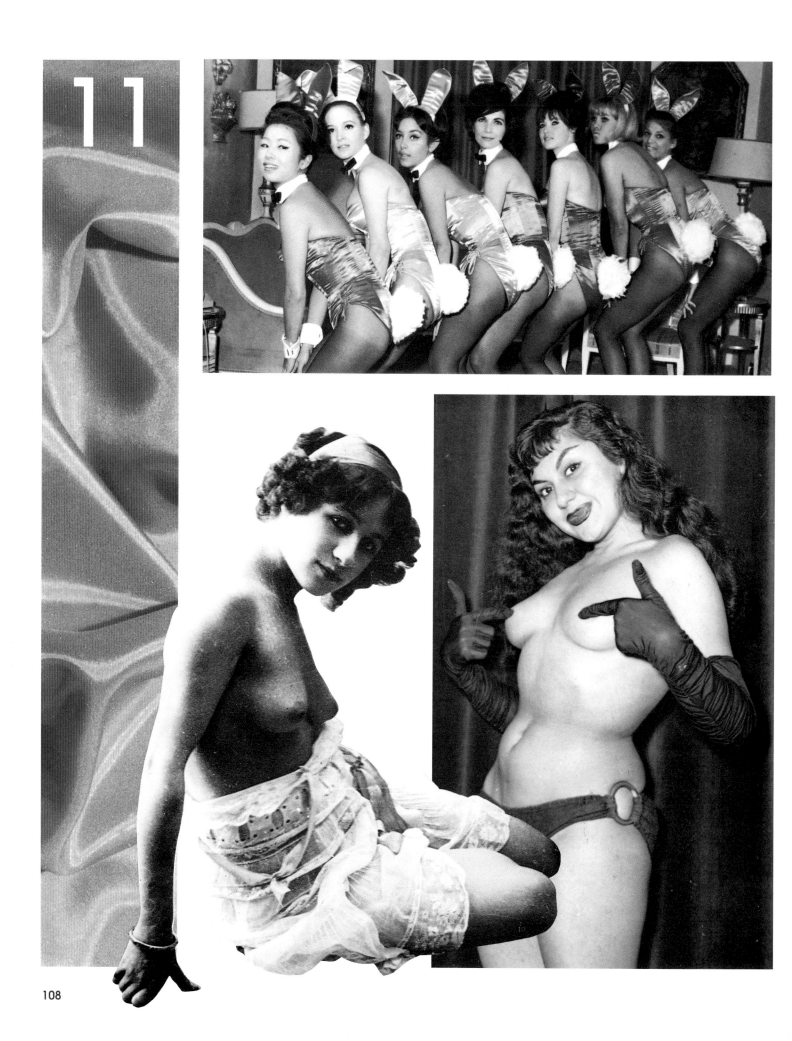

11

LE SEXE DES ANGES

« IL Y A DES FILLES INNOCENTES, PARFAITEMENT INNOCENTES ET C'EST UN GRAND MALHEUR »
Anatole France

Pas de demi-mesure, au commencement de ce siècle, pour l'éternel féminin : lorsqu'on est femme, on est nécessairement épouse ou catin. On est assujettie au désir de l'homme et à ses besoins, on fait partie de sa vie comme de son lit. Rien de très exaltant. Les épousailles sont arrangées par les familles, le mari se console avec des maîtresses : putains, demi-mondaines, chanteuses de « beuglant » ou de « caf'conc' » engloutissent une partie de l'argent du ménage et font les délices des pièces de Feydeau. Pendant ce temps, l'épouse esseulée ronge son frein en vaquant aux tâches domestiques. Personne, pas même elle, ne songe à son plaisir... Dans les cas les plus dramatiques, des jeunes filles de noble extraction, mais désargentées, sont mariées à de vieux barbons ; au lendemain de leur hideuse nuit de noces, certaines, ne supportant pas un avenir tout tracé et sans aucun espoir, préfèrent se suicider. Et ces pesants secrets de famille sont alors bien plus fréquents qu'on ne l'imagine... Mais peu à peu, le puritanisme qui sévit depuis le XIXᵉ siècle cède du terrain.

On supporte de plus en plus difficilement l'hypocrisie qui conduit ces messieurs au bordel et contraint les dames à ne pas ôter leurs gants en public ou à se faire examiner à distance par leur médecin en désignant l'origine de leurs troubles sur un mannequin. Quelques médecins, encore très peu nombreux, ont osé se pencher sur la sexualité féminine et prônent l'épanouissement conjugal : la femme a droit à l'orgasme et peut légitimement espérer que son mari réponde au désir qu'il lui est permis de manifester. Des esprits particulièrement émancipés, notamment dans les milieux libertaires, revendiquent l'union libre. Bien entendu, celles qui s'adonnent à ce genre de fantaisie moderniste sont immédiatement taxées de « filles faciles » par les gens convenables, quand l'insulte n'est pas plus crue encore... Pour la paix des esprits et la sauvegarde des apparences, il est mieux vu, dans les milieux honorables, qu'une femme insatisfaite prenne discrètement un amant. Cependant, ce modèle, parce qu'il demeure éminemment bourgeois, est battu en brèche par des membres de

• **1900** : *environ 6 000 prostituées exercent à Paris.*

• **1902** : *les amours apaches d'Amélie Hélié, dite Casque d'Or, défrayent la chronique. Deux chefs de bande se battent pour elle. Ils seront condamnés au bagne. Quelques années plus tard, Amélie quitte le métier : elle se marie et devient vendeuse de bonneterie.*

• **1907** : *Picasso présente* Les Demoiselles d'Avignon.

• **1908** : *premier film pornographique français intitulé* A l'Ecu d'Or ou la Bonne Auberge *(auteur inconnu).*

• **1911** : *la doctoresse Madeleine Pelletier (1874-1939), militante de la première heure pour l'émancipation sexuelle, affirme qu'« une femme ne peut vivre qu'à condition de renoncer à l'amour et à la maternité » (extrait de son ouvrage :* Le droit à l'avortement*).*

• **1920** : *la Société des nations aborde le problème de la traite des blanches.*

• **1930** : *Yva Richard, reine de l'érotisme parisien, vend par correspondance tous les articles indispensables aux fétichistes.*

• **1937** : *le père André-Marie Talvas crée le Mouvement du nid, destiné à secourir les prostituées et à faciliter leur réinsertion sociale.*

L'âge d'or des bordels, vers 1910 : la « photo de famille » des filles avec leurs clients militaires cache une réalité très sordide.

Page de droite : *un sourire pour occulter la misère, l'esclavage et la maladie.*

la gauche, non des moindres : en 1907, Léon Blum se déclare favorable à l'expérience sexuelle des fiancés avant le mariage. Des féministes s'engouffrent dans la brèche. Les fausses ingénues font des ravages. Les jeunes filles minaudent et se laissent approcher. Elles se risquent au « flirt », aux caresses, aux baisers volés, prenant progressivement de l'assurance. Certaines femmes mariées s'encanaillent très sérieusement, mettant autant d'ardeur et de passion à se ménager une double vie qu'elles en avaient eu à jouer leur rôle d'épouse soumise. Un drôle de phénomène est en train de se produire. Les bordels sont en perte de vitesse alors que fleurissent un peu partout des établissements d'un genre tout nouveau : les « Maisons de rendez-vous ».

DES « RENDEZ-VOUS » INAVOUABLES

Depuis 1900, reconnaissant légalement une situation de fait, le préfet Lépine, à Paris, permet l'exploitation de ces maisons closes pas comme les autres, qui portent nettement ombrage aux établissements traditionnels, y compris aux plus réputés : le Chabanais, l'Étoile, la Lune, le Cythéria, le Flamboyant... Les lupanars huppés de la capitale subissent cette concurrence déloyale, mais ce sont les maisons de tolérance de quartier qui souffrent le plus. Les clients boudent leurs pensionnaires dévergondées, font la fine bouche devant les « professionnelles » aux charmes outrageusement exposés. Les esclaves de la galanterie, corvéables et perverties à merci, n'ont décidément plus la cote. Depuis le début du siècle, on assiste à une recrudescence des maladies vénériennes ; on considère que les filles, au bout d'un an de métier, sont fatalement contaminées. La situation empire pendant la Première Guerre mondiale, quand les prostituées battent la campagne afin de remonter le moral des troupes. Pour se rendre plus attrayantes malgré leurs maux et dissimuler leur pâleur, elles se maquillent exagérément et se fardent même quelquefois le sexe, pour en cacher les ulcérations.

La récente désaffection de la clientèle pour les prostituées des « claques » tient à cette profonde misère et à la honte qu'elle génère. Les maisons closes, nommées fort à propos, sont de véritables prisons pour les filles qui y sont enfermées, obligées d'y rester par chantage ou nécessité. Au contraire, les nouvelles « Maisons de rendez-vous » s'apparentent plutôt à des hôtels de passe : filles et clients s'y rejoignent dans la journée pour consommer sexe et alcool ; l'établissement est fermé la nuit et n'héberge aucune pensionnaire. Mais le plus intéressant réside dans la personnalité des femmes qui y « travaillent » : prostituées, demi-mondaines, femmes mariées ou filles de bonne famille s'y côtoient. Cette dernière catégorie est la plus prisée de ces messieurs. Avec la maison de rendez-vous, l'amour vénal est une aventure aux effluves d'adultère. Très fantasmatique. On prend le temps de se rencontrer autour d'un thé dans le salon de l'établissement, de parler, de jouer la séduction. La dame est bien vêtue, chapeautée, évite toute vulgarité, ressemble à la voisine ou à la femme d'un ami... Ce qu'elle est d'ailleurs parfois réellement ! Le « jeu de l'amour et du hasard » ménage souvent des surprises. L'occasionnelle

« Belle de jour », célébrée par Joseph Kessel en 1928, est une femme libertaire à défaut d'être libérée, qui veut de l'argent et du sexe, de l'imprévu et des émotions fortes.

LA FERMETURE

Depuis des années, les parlementaires débattent régulièrement de l'opportunité ou non de fermer les maisons de tolérance. Plusieurs pays européens ont déjà supprimé leurs bordels : la Belgique en 1925, l'Autriche en 1921, la Hollande en 1911, la Norvège, à la fin du XIXe siècle. En France, la crainte de la prostitution clandestine, d'une débauche incontrôlée portant atteinte à la santé et à la moralité publiques, jugule les velléités abolitionnistes. Et les conflits mondiaux ménagent bien d'autres sujets de préoccupation. C'est une femme qui décide d'apporter une réponse

- *1942 : apparition du mot « pin-up » : Betty Grable fait la couverture du magazine* Movie Story. *Ses jambes sont assurées pour un million de dollars. Les GI's achètent sa photo au rythme d'environ 20 000 exemplaires par semaine.*

- *1943 : commercialisation de la pénicilline, qui permet de traiter les maladies vénériennes.*

- *6 août 1945 : à 2 h 45, l'Enola Gay, piloté par le colonel Paul Tibbets, s'envole pour lâcher la bombe « Little Boy » sur Hiroshima : sur la carlingue, est peinte une pin-up qui ressemblerait fort à Rita Hayworth...*

- *9 avril 1946 : le proxénétisme étant désormais interdit, 1 400 établissements sont fermés en France dont 180 à Paris (parmi lesquels, le One Two Two, le Sphinx, la Rue des Moulins ou le Chabanais). Beaucoup de tenanciers se rabattent sur la gestion de simples hôtels de passe.*

- *1948 : publication du* Comportement sexuel de l'homme, *puis en 1953 du* Comportement sexuel de la femme, *par l'Institute for Sex Research, animé par Alfred Charles Kinsey.*

- *Janvier 1951 : La vie commence demain est le premier film français à être classé X (à cause d'une séquence d'insémination artificielle...)*

- *1960 : les call-girls de Madame Claude gagneraient environ 70 000 francs par mois.*

- *Juillet 1960 : la France ratifie la Convention internationale de décembre 1949 pour la répression de la traite des humains et du proxénétisme.*

- *1967 : Belle de jour de Luis Buñuel, avec Catherine Deneuve : tout l'érotisme sulfureux des « maisons de rendez-vous » et des « occasionnelles » de haute volée, bourgeoises adultères et vénales.*

- *2 juin 1975 : Ulla et une centaine de prostituées occupent l'église Saint-Nizier de Lyon pendant huit jours avant d'en être expulsées. Le 1er juillet, elles organisent dans la même ville des « États généraux de la prostitution ».*

définitive au problème. En 1945, Marthe Richard, autrefois prostituée à Nancy avant de devenir pilote d'avion puis espionne pour le gouvernement pendant la guerre, est conseillère municipale de Paris et s'engage dans la lutte contre les maisons closes. En tant que rapporteur de la Commission de la santé publique, elle a constaté que la syphilis a progressé de manière spectaculaire pendant la guerre et que près de 150 000 décès pouvaient lui être directement imputés. Le public s'en émeut. La presse, le parti communiste et les démocrates-chrétiens lui donnent leur appui. Elle obtient gain de cause le 13 avril 1946 : la loi qui est votée ce jour-là promulgue l'abolition des maisons de tolérance, la création d'un fichier qui répertorie toutes les filles, et durcit la lutte contre le proxénétisme.

FAUX-SEMBLANTS

L'heure n'est pas aux mœurs légères. Dans l'immédiat après-guerre, les lois

édictées par le gouvernement de Vichy demeurent en vigueur : délit d'homosexualité, avortement considéré comme criminel. Jusqu'à la fin des années 60, la femme est un objet de tentation quasi diabolique. On l'invoque à Paris en prenant contact avec Madame Claude et son réseau de call-girls aux charmes infernaux... Mais pour le commun des mortels, l'austérité est de mise. Aux États-Unis, la censure s'exerce dans pratiquement tous les domaines. Dans certains États, les strip-teaseuses doivent porter de faux seins en plastique moulé pour ne pas montrer les vrais et satisfaire à la lettre aux règles les plus aberrantes de la bienséance. Les filles dénudées des magazines coquins, là-bas comme ici, ne montrent jamais leurs poils pubiens et les photos sont retouchées pour ne pas attirer les foudres de la justice... La femme parfaite est assidue au travail, dévouée à sa famille, gentiment lovée dans le giron protecteur de la mère patrie. Comme les anges, elle semble donc dépourvue de sexe.

COLÈRE ET VOLUPTÉ

Vient pourtant un jour où elle décide de se réapproprier son corps. 1968.

Le printemps est à l'orage. « Notre corps est à nous ! » se mettent-elles à crier en chœur, minijupes et cheveux au vent, à l'assaut des barricades… Leur révolution à elles est aussi – peut-être surtout – sexuelle. On se précipite sur Sade l'emblématique et sur l'énigmatique *Histoire d'O*, ode à l'amour extrême écrite et vécue par Pauline Réage, alias Dominique Aury. On traînasse en communauté et on fait l'amour toute nue dans la nature, avec des couronnes de fleurs sur la tête et des « champignons magiques » à portée de bouche. On part pour Katmandou, en stop, avec un franc en poche, s'initier aux joies exotiques du *Kama Sutra*. Les pionnières du sexe explorent de nouveaux territoires. L'union libre est une évidence. Pour la première fois, les femmes s'arrogent le droit de goûter aux plaisirs de l'érotisme pour elles-mêmes. En 1974, *Emmanuelle*, porno soft de Just Jaekin encore interdit en France deux ans auparavant, fait deux millions d'entrées. En 1975, Ulla, prostituée et diplômée en droit, manifeste avec ses consœurs ; elles occupent l'église Saint-Nizier de Lyon puis organisent des « États généraux de la prostitution » pour protester contre l'« État-proxénète » qui les emprisonne pour leurs activités tout en percevant taxes et impôts sur ce qu'il s'acharne tant à réprimer…

Pendant ce temps, les hommes se laissent déborder, terrifiés. Les sexologues les ont largement culpabilisés, les taxant d'ignorance et de paresse : il faut titiller le point G de Madame et l'envoyer au septième ciel à tous les coups après moult préliminaires alambiqués. Certaines féministes ont un discours encore plus radical. Séduisantes au minimum (parce qu'elles se veulent au-dessus de ça), elles réclament une jouissance maximale. Quant aux épouses, elles attendent de leur mari qu'il remplisse sans faillir son devoir conjugal mais ne veulent pas imaginer qu'atteindre le nirvana procède d'un effort mutuel et partagé.

Les filles sont devenues de sales machos.

LES ANNÉES AMÈRES

Les années suivantes, les post-soixante-huitards des deux sexes se sont largement calmés. Désillusionnés. Leurs aspirations divergent sacrément. Les femmes sont revenues sur leurs implacables revendications de sommier, s'apercevant que les hommes finissent par les fuir à toutes jambes : la vague des divorces fait de nombreux ravages. Les célibataires sont légion, et se divertissent en travaillant comme des forcenées pour oublier leur solitude, en devenant des « célibattantes », qui rêvent en secret, comme leurs aïeules, de trouver le Prince Charmant et de faire un bébé…

De leur côté, les hommes restent sur la défensive, encore méfiants, toujours soucieux des éventuelles récriminations féminines : « Au lit, faut assurer ! » ont-ils forcément à l'esprit. Du coup, pendant que les uns font gonfler leurs muscles grâce au body-building pour doper leur virilité, les autres adoptent la solution du repli stratégique. Ils fantasment dans leur coin. Les temps s'y prêtent. On peut presque tout faire de chez soi, même des rencontres. Les messageries roses du Minitel font des ravages.

On assiste à un retour de la « femme-femme », qui, dans le domaine de l'érotisme et de la pornographie, est ravalée au rang de simple poupée gonflable.

Le sexe – la femme – est devenu un produit de grande consommation.

Le sexe des années sida redevenu tabou. Rencontres sur Minitel, via Internet, érection programmée grâce au Viagra : le plaisir est un nouveau Graal.

Des sex-shops grands comme des supermarchés ouvrent leurs portes partout en Europe. La vidéo X catégorie « amateurs » surprend Monsieur et Madame Tout-le-monde dans leurs ébats. C'est le sexe « popote ». Particulièrement indigeste.

En cette fin de millénaire, le sexe est redevenu tabou. Le plaisir est le Saint Graal du couple, qui n'hésite pas, pour se l'approprier, à avoir recours au Viagra. Parallèlement, la peur du sida et les nouvelles technologies de communication ont accentué la notion d'amour à distance : le bon vieux Minitel est toujours très pratique, le cybersex via Internet ouvre de nombreuses perspectives... Chaque perversion possède son réseau. Le marché du sexe s'étend et devient aussi tentaculaire qu'incontrôlable. On en vient par conséquent à se demander si les vieilles pratiques n'avaient pas du bon. En 1990, Michèle Barzach, médecin et ancien ministre de la Santé, propose de rouvrir les maisons closes, pour pouvoir correctement surveiller les conditions sanitaires de la prostitution et généraliser l'usage « professionnel » des préservatifs. Un coup pour rien. Le sexe de la femme participe désormais d'un enjeu non seulement commercial mais également politique.

En 1998, Monica Lewinski, « demi-mondaine » nouvelle tendance, probablement manipulée par l'extrême droite, séduit le président des États-Unis, Bill Clinton, et le fait prendre en flagrant délit d'adultère et de parjure. Leurs jeux torrides sont révélés dans les moindres détails, relatés dans la presse, par vidéo, sur Internet. Cette « passe » entre dans l'Histoire. Le XXIe siècle risque de ne pas être uniquement spirituel...

LES FEMMES DU SIÈCLE

*Elles ont marqué leur siècle, à leur manière, par leur personnalité,
leur sensibilité ou leur parcours professionnel.*

*Quelques femmes parmi tant d'autres, des passantes de cette fin
de millénaire pour une galerie de portraits émouvants, figures surgies
du passé pionnier ou du présent triomphant.*

*Le choix est arbitraire, volontairement non exhaustif,
évidemment affectif, un peu épidermique : des souvenirs émergent
de la mémoire et se fraient un chemin entre les pages...*

• BERTIE ALBRECHT
(Berthe Wild)

*(Marseille, 15 février 1893 – Paris,
31 mai 1943)*

Infirmière, Berthe Wild épouse le courtier néerlandais Frederic Albrecht auquel elle donne deux enfants. Le couple va vivre à Londres où la jeune femme se penche sur les problèmes de société, le contrôle des naissances et la condition ouvrière. Le krach de 1929 oblige son mari ruiné à s'installer à Paris et Bertie devient une sympathisante du parti communiste. Elle travaille à la Ligue des droits de l'homme, aux Amis de l'URSS et se bat pour la liberté d'avorter. Sa lutte et ses positions politiques poussent son mari, qui a refait fortune, à demander le divorce. Bertie est nommée surintendante de la Manufacture d'armes de Saint-Étienne. En juin 1940, alors qu'elle est à Vierzon, elle organise un réseau pour permettre aux prisonniers évadés de franchir la ligne de démarcation. Avec Henri Frenay, elle fonde à Lyon le mouvement de résistance « Combat ». La police française

l'arrête en avril 1942. Elle est jugée puis internée dans le Tarn. Simulant la folie pour éviter la déportation, Bertie est envoyée dans un hôpital psychiatrique dont elle parvient à s'évader pour reprendre ses activités de résistante. Arrêtée une seconde fois à Mâcon, Bertie est transférée à la prison de Fresnes où elle meurt le 31 mai 1943. Le général de Gaulle la nomme compagnon de la Libération à titre posthume. Elle repose au Mont-Valérien.

• LOU ANDREAS-SALOMÉ
(Louise von Andreas-Salomé)

(Saint-Pétersbourg, 1861 – Göttingen, 1937).

Fille d'un général russe, Louise fait très jeune preuve de ses capacités intellectuelles. En 1880, elle s'installe en Suisse, à Zurich, où les femmes sont acceptées à l'université. Elle y suit des cours de théologie, de religion comparée et d'histoire de l'art. Surmenée par des études trop poussées, la jeune fille est emmenée par sa mère à Rome en 1882. Elle y fait la connaissance du philosophe Paul Rée qui la présente à

Nietzsche et ils ne tardent pas à former un inséparable trio. La modernité de la jeune fille, son besoin d'indépendance ne peuvent que se satisfaire de cette complicité intellectuelle et fraternelle. Elle n'accepte d'épouser ni l'un ni l'autre mais se tourne vers Frederik von Andreas, un professeur de langues orientales avec lequel elle contracte un mariage blanc. Lou ne connaît son premier amant qu'à 30 ans. En devenant la maîtresse du poète Rainer Maria Rilke, elle lui inspire *Le Livre d'heures*. Ils voyagent ensemble en Russie puis Lou reprend son indépendance : « Je suis éternellement fidèle aux souvenirs. Je ne serai jamais fidèle aux hommes », déclare-t-elle. À 50 ans, elle rencontre Sigmund Freud et découvre la psychanalyse. Après avoir été son élève, elle devient sa confidente, ce qui ne l'empêche pas de poursuivre une œuvre littéraire personnelle où des romans voisinent avec des essais sur Nietzsche, sur Rilke ou Tolstoï. On lui doit une autobiographie, des réflexions sur la psy-

chanalyse et le féminisme ainsi qu'une volumineuse correspondance.

• CLAUDIE ANDRÉ-DESHAYS

(France, 13 mai 1957).

Première astronaute française et médecin, Claudie André-Deshays s'est envolée vers la station soviétique Mir le 17 août 1996. À 400 km au-dessus de la Terre, Mir évolue à 28 000 km/h depuis plus de dix ans. Le 2 septembre suivant, l'aventurière de l'infini redescendait sur la planète bleue, des étoiles plein les yeux...

• CORAZON (dite Cory) AQUINO (Corazon Cojuangco)
(Manille, 1933).

Cory Cojuangco est issue d'un milieu très aisé et influent de propriétaires terriens philippins. Mariée au sénateur Benigno Aquino, elle l'aide activement dans sa lutte contre le dictateur Ferdinand Marcos et son épouse Imelda. De retour d'un exil qui aura duré trois ans, Benigno Aquino est assassiné le 21 août 1983. L'opinion s'en émeut, des manifestations accompagnent les obsèques du principal opposant à la dictature. L'indignation atteint son comble lorsqu'est prononcé l'acquittement des deux meurtriers présumés, qui sont évidemment à la botte des Marcos... Ferdinand Marcos subit des pressions qui le contraignent à accepter une élection présidentielle anticipée. Des milliers de pétitionnaires incitent la veuve Aquino à poursuivre la lutte de son mari, ainsi que le cardinal Jaime Sin, leader de l'Église catholique, et une forte proportion de la grande bourgeoisie la soutient, soucieuse d'assainir un peu les affaires du pays. En février 1986, Marcos est réélu mais la fraude électorale est manifeste et il est contraint de fuir devant la révolte de son peuple. L'armée elle-même se range aux côtés de celle que les Marcos appellent dédaigneusement « la ménagère ». À 53 ans, « Cory », mère de famille de cinq enfants, est proclamée présidente de la République le 25 février 1986. Son premier geste est de rétablir la démocratie, la liberté de la presse et de libérer les prisonniers politiques. Le monde entier l'acclame et l'admire, elle est même élue « Homme (sic) de l'année 1986 » par le magazine américain *Times*... Mais le pays se trouve en proie à d'énormes difficultés économiques et sociales : la moitié des Philippins vit en dessous du seuil de pauvreté, le chômage touche 20 % de la population, la corruption ronge l'administration et empoisonne les affaires, la prostitution et le sida font des ravages. Au cours de son mandat, Cory doit affronter plusieurs coups d'État, les actions des rebelles communistes, et se battre pour faire appliquer les droits de l'homme tout en ménageant la susceptibilité des militaires. Malgré le soutien des États-Unis, sa ténacité et sa grande popularité, Cory Aquino ne parvient qu'à grand-peine à se maintenir en place. Elle perdra le pouvoir en 1992.

• FLORENCE ARTHAUD
(France, 1958).

Florence Arthaud, fille de l'éditeur du même nom, est depuis de nombreuses années la navigatrice française la plus célèbre du siècle : en 1978, elle participe à la première « Route du Rhum ». Elle est la première Française à oser tenter une course en solitaire. Après vingt-huit jours de traversée, elle rallie sa destination – Pointe-à-Pitre – et finit onzième sur les dix-huit concurrents restant en lice... Un an plus tard, elle constitue, avec Catherine Herman, le premier tandem féminin de la « Transat ». Son destin est tracé, les courses se succèdent, ses performances s'améliorent à chaque fois.
Le 3 août 1990, elle décroche un nouveau record de la traversée de l'Atlantique en solitaire, en 9 jours, 21 heures et 42 minutes. Le 17 novembre 1990, elle atteint la consécration en remportant la quatrième « Route du Rhum » sur le trimaran *Pierre 1ᵉʳ*, battant par la même occasion le record de Philippe Poupon, établi en 1986, de 5 minutes et 49 secondes.
Florence Arthaud a ouvert aux femmes la voie des mers.

• JOSÉPHINE BAKER
(Saint-Louis, Missouri, 3 juillet 1906 – Paris, 25 avril 1975).

Sa mère est sénégalaise, son père blanc. À 16 ans, elle fait ses débuts dans un cabaret de Philadelphie puis on l'engage, à New York, dans un spectacle où ne se produisent que des Noirs. Le succès éclate quand elle se produit à Paris, au Théâtre des Champs-Élysées, dans la *Revue nègre*, où les spectateurs sont conquis par ses mimiques et ses contorsions. Sans attendre, Paul Derval l'engage pour mener les revues des Folies-Bergère. Elle y chante *J'ai deux amours*, vêtue d'un simple régime de bananes. C'est à la fois le triomphe et le scandale. Munich et Santiago condamnent ses apparitions publiques. Après deux mariages, elle tourne quelques films puis, en 1940, rejoint la France libre et soigne les blessés en Algérie. Son dévouement est récompensé par de nombreuses décorations dont la Légion d'honneur. Après une vie consacrée aux nombreux enfants de toutes les races qu'elle a adoptés, elle remonte sur scène à plus de 60 ans, et renoue avec le succès. Elle meurt en incarnant son propre personnage dans *Joséphine*, une somptueuse revue montée pour elle par André Levasseur. Personne n'oubliera sa vivacité, son entrain, ses talents d'acrobate et son inlassable générosité.

• BARBARA (Monique-Andrée Serf)
(Paris, 9 juin 1930 – Paris, 24 novembre 1997).
Fille d'une mère russe et d'un père alsacien, Barbara passe les premières années de sa vie à déménager d'hôtel en hôtel. Il faut fuir et se cacher quand le gouvernement de Vichy fait passer les lois antijuives. Après Marseille, Tarbes ou Roanne, la famille s'installe dans l'Isère, puis près de Paris, après la Libération. Barbara sait depuis toujours qu'elle veut être chanteuse. En 1951, elle est engagée comme plongeuse à La Fontaine aux Quatre Saisons, rue de Grenelle, un cabaret animé par Pierre Prévert, le frère de Jacques. Elle y côtoie Mouloudji et Boris Vian. Peu après, elle épouse Claude Sluys, rencontré à Bruxelles, qui s'occupera pendant des années de son répertoire : la chanson réaliste, dans la lignée des Damia, Yvonne Georges ou Marie Dubas. En 1954, elle est devenue une figure familière de Saint-Germain-des-Prés. Tout le monde connaît sa longue silhouette noire, son grand regard fiévreux, son caractère « turbulent », ses colères, sa timidité, ses contradictions. Elle est engagée à l'Écluse, un cabaret situé quai des Grands-Augustins, et y reste jusqu'en 1964. Elle y a trouvé une vraie famille. Philippe Noiret, Pierre Darras, Raymond Devos, Bernard Haller, puis Jean Yanne, Maurice Béjart, Georges Brassens et Jacques Brel, font partie de son cercle. En janvier 1958, elle sort un premier 45 tours pour Pathé-Marconi : « La Chanteuse de minuit ». On commence à beaucoup parler d'elle, de ses chansons mélancoliques ou d'humour « canaille ». En 1963, elle concocte son premier album. À partir de 1964, elle enchaîne les tournées, compose *Göttingen*, *À mourir pour mourir*, et *Nantes*, parmi bien d'autres titres. Elle

chante en covedette avec Gainsbourg au Théâtre de l'Est Parisien, puis tourne dans *Frantz*, un
film avec Brel, en 1971. La
« longue dame brune » devient
une star discrète et solitaire, retirée dans sa demeure de Précy-sur-
Marne. Sa vie, elle la raconte dans
son œuvre. Son émotion et sa passion, elle les communique à son
cher public, comme lorsqu'elle
chante, en 1987, pour les « sidam-
nés », les malades du sida. En
1996, elle arrête la scène et entreprend d'écrire ses *Mémoires*. Ils
resteront inachevés. Elle s'éteint
le 24 novembre 1997, foudroyée
par un énigmatique « choc toxi-
infectieux ». « L'Aigle noir » s'est
envolé.

• BARBIE MILLICENT
ROBERTS
(1959).

« Fille » de Robert et Margareth
Roberts – ses inventeurs –, Barbie,
la poupée fabriquée par la firme
Mattel, est devenue un véritable
phénomène de société qui se per-
pétue de génération en génération. Elle a conquis l'imaginaire des enfants et des adultes,
habillée par les plus grands couturiers, objet fétiche ou de collection, œuvre d'art pour les uns,
symbole ou exutoire affectif pour
les autres. Cette poupée mannequin élevée au rang d'icône est
devenue une image de référence
pour les petites filles du monde
entier, un modèle de beauté sage,
d'adulte étrangement désexuali-
sée, à la fois proche et idéalisé. Sa
garde-robe, qui s'inspire à l'occasion de celle des plus grandes
vedettes de Hollywood – Marilyn
ou Jane Russell –, est renouvelée

en fonction des modes et des mentalités du moment. Vendue dans
cent-quarante pays au rythme
de deux poupées par seconde,
Barbie est le jouet le plus vendu
du siècle, reflet de l'air du temps
fantasmatique et intemporel,
figure légendaire à la portée de
toutes les bourses...

• BRIGITTE BARDOT
(Paris, 1934).

Fille d'un administrateur de biens
appartenant à la bourgeoisie parisienne, Brigitte étudie la danse et,
à l'âge de 14 ans, pose pour *Le Jardin des Modes*. Roger Vadim la
découvre puis l'épouse en 1952.
Le réalisateur et « Pygmalion » va
faire de cette irrésistible sauva-
geonne le grand mythe féminin
des années 50 et 60 en lui confiant
le rôle principal dans *Et Dieu créa
la femme*. Après avoir découvert sa
beauté de femme-enfant, sa sensualité, son inimitable démarche
et sa voix acidulée, les hommes
ne l'oublient pas et les femmes
cherchent à lui ressembler. La
coiffure-choucroute, les yeux
noircis à l'eye-liner, la moue bou-
deuse, la jupe en vichy et les bal-
lerines de danseuse inspirent
toute une génération. Elle est
celle « par qui le scandale arrive »
et que le destin a mis à la place
exacte où se confondent rêve et
réalité. Incarnant séduction et
modernité, ce sex-symbol prône
une indépendance qui frise
l'amoralité. Se succèdent amants
et maris (Jacques Charrier avec
qui elle a un fils, Nicolas, puis le

milliardaire allemand Gunther
Sachs qu'elle épouse à Las Vegas
pour divorcer aussitôt). « Le désir
et le plaisir sont tout simplement
plus convaincants pour elle que
les préceptes », déclare à son sujet
Simone de Beauvoir. Les plus
grands réalisateurs la réclament
et on la voit dans *La Femme et le
Pantin* (1958), *En cas de malheur*
(1958), *La Vérité* (1960), *Le Repos
du guerrier* (1962), *Le Mépris*
(1963), *Viva Maria* (1965). Elle
entame une carrière de chanteuse et *Initiales BB* composée par
Serge Gainsbourg, avec lequel
elle aurait connu une histoire
d'amour, est un hommage à sa
célébrité planétaire. Monstre
sacré, Brigitte tourne le dos au
cinéma pour se consacrer entièrement à la défense des animaux
au début des années 70. En 1996,
elle publie chez Grasset ses
Mémoires dans lesquels n'entre
aucune complaisance envers elle-
même et les autres. « Si Brigitte
Bardot n'existait pas, il faudrait
l'inventer », avait déclaré sans se
tromper Federico Fellini.

• COLETTE BESSON
(Charente-Maritime, 1946).
En 1968, Colette Besson est la première athlète française à monter,
vingt ans après Micheline Oster-
meyer, sur le podium olympique.
Cette année-là, à Mexico, elle
remporte la médaille d'or pour
le 400 mètres, qu'elle court en
52 secondes, décrochant par la
même occasion le record du
monde.

• BENAZIR BHUTTO
(Karachi, 1953).
Après une adolescence dorée en
Europe, où elle poursuit ses
études – notamment à l'université
d'Oxford –, Bénazir Bhutto, fille
d'une riche famille sunnite,
rentre au Pakistan. Au même
moment, son père, le Premier
ministre Zulfikar Ali Bhutto, est
évincé du pouvoir par le général
Zia, à l'issue du coup d'État de
1977, puis pendu. Benazir et sa
mère sont retenues prisonnières.
Une fois libérée, Benazir met tout
en œuvre pour renverser les put-
schistes. En 1981, elle devient leader du Parti populaire pakistanais

(PPP). Elle est placée en résidence surveillée, soupçonnée de
préparer la sédition, puis arrêtée
pour avoir réclamé des élections
générales. Quelques mois plus
tard, avec l'aide de ses frères, elle
organise le détournement d'un
avion, et fait libérer cinquante-
quatre prisonniers politiques, ce
qui lui vaut d'être à nouveau
emprisonnée. Libérée au bout de
cinq mois, elle est autorisée à quitter le pays pour se réfugier en
Angleterre. Elle revient au Pakistan deux ans plus tard, accueillie
par des milliers de partisans. En
août 1988, l'« usurpateur », le
général Zia, meurt dans un accident d'avion, laissant le pouvoir
vacant. Benazir Bhutto se présente aux élections qui ont lieu
quelques semaines plus tard, et
est nommée chef du gouvernement en décembre de la même
année, devenant la première
femme à la tête d'un gouvernement musulman. Elle sera desti-
tuée de ses fonctions le 6 août
1990, le chef de l'État l'accusant de corruption. Benazir s'en
défend et invoque une cabale
fomentée par ses opposants et par
les militaires, ses ennemis de toujours. Pourtant, la situation économique et sociale du Pakistan,
plus précaire depuis son arrivée
au pouvoir, plaide en sa défaveur.
On chuchote également qu'elle
aurait armé les Talibans... Benazir
Bhutto demeure un personnage
trouble aux actes parfois contes-
tables et ambigus.

• KAREN BLIXEN
(Karen Dinesen)
(Danemark, 17 avril 1885 – 7 septembre 1962).
Son père Wilhem Dinesen, aristo-
crate campagnard, lui insuffle le

La Belle Otéro.

Liane de Pougy.

Selon le dictionnaire, ce terme désigne une personne qui, par intérêt, cherche à plaire, une prostituée d'un rang social élevé, ou une personne vivant à la cour d'un souverain.

Si la prostituée et la courtisane pratiquent toutes deux l'amour vénal, la première, contrairement à la seconde, ne choisit pas ses amants. Fleurons de la société jusqu'à la guerre de 14-18, les courtisanes sont la récréation des hommes, de tous les hommes : des adolescents qu'elles initient, des célibataires qu'elles distraient, des maris qu'elles débauchent, des politiciens qu'elles régentent et des militaires qu'elles mènent à la baguette. Elles imposent liberté de ton, indépendance d'esprit et fantaisie à leurs protecteurs qui, dans les boudoirs, oublient la Chambre des Députés ou le Sénat, la monotonie des casernes et l'ennui distingué des clubs. À la Belle Époque, Paris propose les charmes d'un célèbre quatuor en jupons : Liane de Pougy, Émilienne d'Alençon, la Belle Otéro et Cléo de Mérode. Impératrices des alcôves, reines du monde et du demi-monde, elles remontent dans leurs calèches l'avenue du Bois et soupent chez Maxim's. Souverains et princes mettent leur couronne à leurs pieds mais elles ne connaissent que le royaume de la séduction où elles exercent un pouvoir sans limites. Les femmes légitimes les jalousent et les envient, même si elles ne vont jamais les applaudir sur la scène des Folies-Bergère, de l'Alcazar, de l'Opéra-Comique ou de l'Eldorado. Portraiturées par les plus grands artistes de leur temps, photographiées, adulées, couvertes de bijoux par des amants aussi illustres que le prince de Galles, le kaiser Guillaume II, Alphonse XIII d'Espagne, d'Annunzio et bien d'autres, elles font et défont les modes, se piquent parfois de littérature, entretiennent des relations saphiques et traînent dans leur sillage une réputation de sirènes. « Ne vous mettez pas dans leur ligne de tir, conseillait Jean Cocteau. Même leur fantôme est dangereux. »

goût de la fiction et des contes. Après son suicide, Karen écrira : « Ce fut comme si une partie de moi était morte aussi. » Après une adolescence entre Lausanne et le Danemark, elle s'éprend de Bror Blixen et le rejoint au Kenya où elle l'épouse au lendemain de son arrivée, en 1914. Ils dirigent une plantation de café non loin de Nairobi, mais se séparent très vite. Bror a contaminé sa femme : elle ne se débarrassera jamais de la syphilis, qui l'empêchera d'être mère. Karen choisit de rester au Kenya, où elle a rencontré celui qui deviendra l'amour de sa vie, Denys Finch Hatton, un homme cultivé et passionnant. Au moment où périclite la plantation de café, Denys meurt dans un accident d'avion. Karen vend sa ferme puis retourne au Danemark pour se consacrer à la création littéraire. « Conteuse du destin », comme elle aime se qualifier, elle écrit Sept Contes gothiques en 1934 puis les publie sous le pseudonyme d'Isak Dinesen. En 1937, elle rédige La Ferme africaine où elle livre sa propre histoire, qui deviendra beaucoup plus tard un film tourné par Sydney Pollack. D'autres ouvrages suivent où l'on retrouve son attrait pour le baroque et la féerie, sa nostalgie chronique et ses rêves évanouis. Écrivain reconnu, elle est sélectionnée deux fois pour le prix Nobel et, à défaut de l'obtenir, connaît le succès. Dépressive et anorexique, elle meurt en laissant pour la postérité sa légende teintée d'indépendance, de modernité et d'exotisme.

• LILY BOULANGER
(Paris, 21 août 1893 – Mézy, 15 mars 1918).
Lily est passée dans la vie en étoile filante. Brillante et éphémère. Elle devait s'éteindre à 25 ans, après avoir réalisé son œuvre : une sonate pour piano et violon, un quatuor à cordes et des psaumes, des airs destinés à accompagner des textes de Maurice Maeterlinck et de Francis Jammes. C'est sa sœur, Nadia Boulanger, également musicienne, qui a fait connaître son travail. En 1913, Lily avait été la première femme à être lauréate du grand prix de Rome pour sa cantate *Faust et Hélène*.

• MARIA CALLAS
(New York, 2 décembre 1923 – Paris, 16 septembre 1977).

Ses parents, grecs, s'appelaient Kalogheropoulos mais, habitant New York, ils changent leur nom pour Callas, plus facile à retenir. Maria grandit à Brooklyn et, à partir de 10 ans, s'inscrit dans des concours radiophoniques. Elle est myope, grosse, mais personne ne se préoccupe de son poids, qui n'a jamais représenté un handicap pour une cantatrice, bien au contraire. En 1937, ses parents divorcent et Maria rentre en Grèce, avec sa mère, où elle suit intensivement des cours de chant et parvient à entrer au Conservatoire national. La légende dit qu'elle s'entraîne en mesurant sa voix à celle des canaris ! Elvira de Hidalgo, soprano et professeur au Conservatoire d'Athènes, la remarque et la prend sous sa protection. Après la guerre, Maria fait ses débuts en Italie, à Vérone, dans *La Gioconda* de Ponchielli et rencontre Battista Menenghini, un riche industriel de trente ans son aîné, qui deviendra son mari et son « Pygmalion ». De 1948 à 1952, elle interprète dix-huit personnages différents. Désormais, Maria ouvre chaque saison lyrique à la Scala de Milan. Non seulement elle est une exceptionnelle cantatrice mais elle bouscule le monde de l'opéra en se révélant une inimitable tragédienne. On ne se contente pas de l'écouter chanter mais on admire son jeu de scène tout en nuances, d'autant qu'elle a perdu quarante kilos et que la jeune fille au physique ingrat s'est transformée en une femme élégante et raffinée. Elle sera inoubliable dans *Norma* puis dans la *Traviata*, mise en scène par Luchino Visconti qui deviendra, pendant un temps, son mentor. Le public, son public, vénère la diva qui sait à la perfection incarner toutes les passions, transmettre toutes les émotions. En plein triomphe, en 1958, elle tombe amoureuse du milliardaire grec Aristote Onassis et, pour lui, divorce de Menenghini. C'est le début d'une vie trop mondaine. Sa santé se fragilise et sa voix commence à faiblir. En 1964, elle fait à Londres ses adieux lyriques en chantant pour la dernière fois la *Tosca*. Son existence bascule quand Onassis l'abandonne pour épouser Jackie Kennedy. Désespérée, désemparée, Maria se tourne vers le cinéma et, en 1969, sous la direction de Pasolini, joue *Médée*. Après une dernière tournée de concerts (1973-1974), elle se retire dans son appartement parisien où elle meurt après avoir connu, comme les héroïnes auxquelles elle a prêté sa voix et ses traits, une existence magnifique et tragique.

• CAROLYN CARLSON
(Oakland 7 mars 1943).
D'origine finlandaise mais née aux États-Unis, Carolyn entre au San Francisco Ballet School avant d'être engagée comme soliste dans la compagnie de Alwin Nikolais où elle danse dans des ballets classiques et modernes. Lorsqu'elle entre dans la compagnie d'Anne Béranger, la France découvre cette danseuse dont la grâce n'a d'égale que la technique. L'Opéra de Paris crée à son intention le titre « d'étoile-chorégraphe » en 1973. Avantgardiste, elle réinvente le langage de la danse qu'elle débarrasse de ses habituelles fioritures. On peut citer parmi ses créations *Wind, Water, Sand* en 1976, *This, That, the Other* en 1977, *Writing in the Wall* en 1979. Au début des années 80, elle fonde à Venise le Teatro Danza La Fenice. Elle vit en France et a pris l'habitude de présenter ses spectacles, toujours innovateurs, au Théâtre de la Ville à Paris.

• COCO CHANEL
(Gabrielle Chanel)
(Saumur, 10 août 1883 – Paris, 10 janvier 1977).

Née en Anjou, Gabrielle est néanmoins auvergnate par ses ascendants. Sa mère meurt de phtisie lorsque la fillette n'a que 10 ans. Elle est alors envoyée dans un orphelinat et son éducation repose entre les mains de deux tantes puritaines qui habitent près du Mont-Dore. Gabrielle a tout juste 16 ans lorsqu'elle s'enfuit avec un homme rencontré à Moulins, Étienne Balsan. Il l'installe chez lui à Royaumont, dans la forêt de Compiègne où, malgré les attentions dont il l'entoure, elle ne tarde pas à s'ennuyer. Sa rencontre avec Arthur Capel, un ami de son amant, constitue pour Gabrielle une seconde naissance. Ce séduisant britannique est intelligent, cultivé, raffiné et auprès de lui Gabrielle va découvrir les règles du savoir-vivre et de l'élégance. Grâce à la confiance qu'il lui accorde, Gabrielle débute comme modiste. Très vite, les chapeaux ne lui suffisent pas et elle songe à détrôner le couturier Poiret qui règne alors sur la mode. Pressentant une évolution rapide de la société, son premier geste de couturière est d'imposer, dans son magasin de la rue Cambon, les tweeds et les jerseys qui vont remplacer les mousselines et les frous-frous. La femme d'après la guerre de 14-18 est conquise par la simplicité des vêtements, par leur élégance, et ne tarde pas à les adopter. Après la mort d'Arthur Capel en 1919, elle rencontre les artistes dont on parle, Picasso, Cocteau, Diaghilev ; elle finance certains de leurs spectacles dont *Parade*, et crée des costumes de scène. Le succès lui sourit. On ne jure que par « son misérabilisme de luxe », la robe noire des Années folles, la marinière, les tailleurs coupés dans de moelleux tissus et les sautoirs de perles. Peu d'hommes résistent à « Coco », qui compte parmi ses amants le grand-duc Dimitri de Russie puis le duc de Westminster qu'elle refuse d'épouser pour protéger son indépendance. Sa fortune trouve sa source dans la création du *N° 5*, son parfum fétiche. Lors de la Seconde Guerre mondiale, Coco Chanel prend de très discutables positions. On lui reproche à la Libération ses relations avec les Allemands, et sa maison de couture reste close jusqu'en 1954. Le succès revient aussitôt. Marlene Dietrich, Romy Schneider, la duchesse de Windsor, Jackie Kennedy s'habillent chez elle. Son parfum continue d'embaumer la planète. On copie ses tailleurs qui sont devenus une institution. Toutefois cette femme qui a toujours revendiqué succès et liberté se

trouve affreusement seule. « J'ai fait des robes, confie-t-elle à l'écrivain Paul Morand. J'aurais pu faire bien d'autres choses. Ce fut un hasard. Je n'aimais pas les robes mais le travail. Je lui ai tout sacrifié même l'amour. Le travail a mangé ma vie. » Celle que l'on a coutume d'appeler « la grande Mademoiselle » s'éteint à l'hôtel Ritz où elle réside avec la certitude non seulement d'avoir été la plus grande couturière de son époque mais d'avoir poussé les femmes à s'émanciper.

• AGATHA CHRISTIE
(Agatha Miller)
(Torquay, 1891 – Wallingford, 1976).

Par son père, Agatha Miller est américaine et par sa mère, anglaise. La petite fille se passionne pour la lecture alors qu'elle ne fréquente pas encore l'école, ce que ses parents ne jugent pas indispensable. Cet engouement ne la quittera jamais et, après le décès de son père, un séjour en France puis un autre en Égypte nourrissent son imagination. En 1914, après son retour dans le Devon, elle épouse Archibald Christie, pilote de l'armée de l'air. Pendant qu'il combat les Allemands, elle travaille comme infirmière à l'hôpital de Torquay et s'intéresse aux poisons. Cet apprentissage lui inspire son premier roman, *La Mystérieuse Affaire de Styles*, où apparaît pour la première fois un détective belge qui deviendra le célèbre Hercule Poirot. Agatha met quatre ans à trouver un éditeur qui lui signe un contrat déplorable. Il lui faut

attendre 1926 pour connaître le succès avec *Le Meurtre de Roger Ackroyd*. Dès lors, aucun échec ne marquera sa carrière. Sa vie sentimentale, en revanche, est teintée d'ombres. Alors qu'elle est déjà mère d'une fillette, Agatha doit faire face à l'adultère de son mari et disparaît dix jours. On la retrouve dans un hôtel thermal où elle s'est inscrite sous le nom de sa rivale. Le divorce est prononcé mais, en 1930, elle se console en se remariant avec un archéologue rencontré à Bagdad, Max Mallowam. Il a quinze ans de moins qu'elle. Elle mènera de front les voyages consacrés aux fouilles et son métier d'écrivain. Dotée d'une imagination extraordinaire, Agatha invente des intrigues qui laissent ses lecteurs haletants. *Le Crime de l'Orient-Express* (1934), *Meurtre en Mésopotamie* (1936), *Mort sur le Nil* (1937), *Dix Petits Nègres* (1939) atteignent des tirages considérables. À son personnage Hercule Poirot, elle ajoute une vieille fille au tempérament victorien : miss Marple. Pour le théâtre, Agatha écrit *La Souricière* qui se jouera à Londres pendant une trentaine d'années. Infatigable, la papesse du roman policier continue de « tricoter » des suspenses qui se vendent dans le monde entier à des millions d'exemplaires. Cela ne l'empêche pas de rédiger ses Mémoires où elle avoue son attirance pour l'humour, les maisons, la couleur parme et l'amusement. Celle que l'on appelle « la Duchesse de la Mort » s'éteint, en pleine gloire, à 86 ans.

• CAMILLE CLAUDEL
(Aisne, 8 décembre 1864 – Mondevergues, 19 octobre 1943).

La sœur aînée de Paul Claudel suit dès l'adolescence les enseignements du sculpteur Boucher. Cette superbe jeune fille manifeste un tempérament aussi violent que créatif. À 19 ans, elle rencontre Rodin, plus âgé qu'elle de vingt-trois ans, et devient rapidement sa compagne. Il se comprennent parfaitement, unis par la même passion artistique et humaine. Camille est la muse d'Auguste, il la prend pour

modèle de plusieurs de ses œuvres les plus illustres : elle est *L'Aurore* en 1885, *La Pensée* en 1886, *L'Adieu*, en 1892 et *La France* en 1904. Camille Claudel a pour amis Mallarmé, Debussy – vivement épris d'elle –, les Goncourt. Elle voue une admiration sans bornes à l'impressionniste Edgar Degas, se passionne pour l'art japonais. Elle s'essaie au pastel et à l'huile, mais surtout sculpte, avec beaucoup d'émotion et d'inspiration. À partir de 1893, les relations entre Camille et Auguste se détériorent : pour trop de gens, et peut-être pour le sculpteur lui-même, Camille Claudel n'est que la disciple d'Auguste Rodin. Le caractère dominateur de celui-ci, ses infidélités continuelles, minent la jeune femme qui le quitte pour pouvoir travailler seule et exprimer librement sa propre personnalité. Mais le chagrin et la désillusion ne cessent de la ronger. Amère et tourmentée, elle réalise alors ses œuvres les plus puissantes, dont *L'Âge mûr*, en 1895, qui figure sa rupture d'avec Rodin. Son caractère marginal, ses colères et ses emportements lui forgent une réputation d'instabilité mentale. En 1899, elle façonne *Persée et Gorgone*, sa dernière création. Son mal-être contraint son génie, le réduisant bientôt au silence : elle sculpte fébrilement des compositions qui restent inachevées et qu'elle finit par détruire dans d'irrépressibles accès de fureur et de peine. Elle retourne sa rage contre tous – accusant Rodin de s'être approprié certains de ses travaux – mais surtout contre elle-même : elle s'enlaidit, devenant presque obèse, sale et indifférente à son image. Camille se laisse progressivement sombrer dans la folie. Son frère la fait interner le 10 mars 1913. Elle meurt en asile psychiatrique, recevant seulement quelques visites de Paul. À partir des années 50 et surtout 80, on reconnaît enfin son œuvre et ses sculptures sont exposées dans les plus grands musées internationaux. En 1988, Isabelle Adjani incarne l'artiste dans un film de Bruno Nuytten, contribuant à lui rendre la part de gloire qui lui est due.

• COLETTE
(Sidonie Gabrielle Colette)
(28 janvier 1873 – Paris, 3 août 1954).

Fille de militaire, Sidonie Gabrielle grandit en Bourgogne où elle contracte un accent rocailleux dont elle ne se départira jamais. Auprès de sa mère Sido, elle découvre les trésors prodigués par la nature et l'amour des animaux. La mauvaise gestion du patrimoine par le capitaine Colette entraîne la ruine de la famille qui, en 1891, doit quitter la maison de Saint-Sauveur pour habiter Châtillon-sur-Loing. La jeune Sidonie y rencontre Henri Gauthier-Villars dit Willy, écrivain et journaliste, puis, fascinée par cet homme érudit et beau parleur, le suit à Paris. Elle a 20 ans lorsqu'elle l'épouse le 15 mai

1893, lui en a 34. S'habituant mal à une vie mondaine et aux infidélités de son mari, Colette tombe malade puis, poussée par Willy, commence à écrire sur des cahiers son premier roman, *Claudine à l'école,* qui, en 1900, connaît un grand succès. La suite paraît en trois volumes et, comme le tout premier, annonce le seul Willy comme auteur. En 1906, le couple se sépare et Colette entretient une relation saphique avec la marquise de Belbeuf, fille du duc de Morny. Afin de subsister, elle commence une carrière de mime et se produit en créant le scandale sur des scènes de music-hall par ses collants couleur chair. Cela ne l'empêche pas de continuer à écrire et, tour à tour, paraissent *La Retraite sentimentale, Les Vrilles de la vigne* et *La Vagabonde.* En 1910, elle rencontre Henry de Jouvenel, rédacteur en chef du journal *Le Matin* dont elle devient l'une des journalistes. Oubliant ses désirs d'indépendance, elle s'installe avec Henry à Passy et, bientôt, attend un enfant dont la naissance adviendra peu après la mort de sa mère, Sido. La petite fille s'appellera également Colette mais répondra au surnom de Bel Gazou. Pendant la guerre et le départ de Henry pour le front, Colette ne cesse d'écrire des articles qui deviendront des recueils : *La Paix chez les bêtes, Les Heures longues.* Elle renoue avec le roman après l'armistice : *Mitsou, Chéri, Le Blé en herbe, La Fin de Chéri.* Vivant comme elle l'entend, Colette noue une liaison avec Bertrand de Jouvenel, son très jeune beau-fils, qui durera cinq ans... jusqu'à ce qu'elle rencontre Maurice Goudeket qu'elle épouse en troisièmes noces et qui demeurera auprès d'elle jusqu'à sa mort. En dépit de la difficulté qu'elle avoue éprouver pour écrire, Colette laisse une œuvre multiple composée de romans, d'essais, d'articles, de critiques. Cigale ou fourmi, elle bâtit un monde dont la femme est le pivot. Une femme glorieuse, vulnérable, attachante et porteuse d'amour. L'Église lui refusa un enterrement religieux, mais l'État lui organisa des funérailles nationales, dans les jardins

du Palais Royal où elle vécut les dernières années de sa vie.

• NADIA COMANECI
(Roumanie, 1961).

Aux Jeux olympiques de Montréal, en 1976, Nadia Comaneci, 15 ans, est la plus jeune championne. Sa performance est parfaite. Elle remporte trois médailles d'or et obtient la note maximale, qui n'avait jusqu'alors jamais été décernée en gymnastique.
Elle est déjà célèbre pour avoir été la seule capable, à 13 ans, d'effectuer un salto sur la même barre... La poutre et les barres asymétriques sont ses appareils de prédilection. Championne d'Europe en 1977 et 1979, Nadia Comaneci est encore championne olympique pour la Roumanie en 1980 à la poutre et au sol. D'autres gymnastes roumaines lui succèdent ensuite, plus jeunes qu'elle. La quête de la perfection semble aller de pair avec l'extrême jeunesse. En 1989, elle fuit son pays pour les États-Unis où elle devient une paisible mère de famille. « La petite reine de Montréal » est redescendue de son piédestal.

• ÉDITH CRESSON
(Boulogne-sur-Seine, 27 janvier 1934).
Après des études à l'École des hautes études commerciales et un mariage avec Jacques Cresson, Édith entre en politique et rejoint François Mitterrand qui dirige alors la Convention des institutions républicaines. Après un premier échec à l'élection partielle de Châtellerault, elle devient maire de cette ville en 1983 puis

elle est élue députée socialiste de la Vienne en 1986. Parallèlement, de 1981 à 1983, elle entre au gouvernement alors que Mitterrand vient d'être élu président de la République. Après un poste de ministre de l'Agriculture, elle est mutée au Commerce extérieur et au Tourisme puis au Redéploiement industriel et au Commerce extérieur. En 1988, Édith devient ministre des Affaires européennes. Après un passage dans le secteur privé, chez Schneider, elle est rappelée le 15 mai 1991 sur le devant de la scène politique pour le poste de Premier ministre. Jamais encore une femme n'avait occupé ce poste en France. L'expérience sera courte : un an plus tard, le 2 avril 1992, elle sera contrainte de démissionner. On lui reproche un trop-plein d'énergie, son franc-parler et une mauvaise communication. Les difficultés économiques et l'accroissement du chômage ainsi que la défaite des socialistes aux élections régionales et cantonales ne l'aident pas à surnager, encore moins au sein de son parti qui l'abandonne, oubliant qu'elle a donné aux entreprises françaises une stature internationale. Déçue et attristée, elle mettra ses idées au service de l'économie privée.

• LARA CROFT
(Grande-Bretagne, 1968).
Conçue par les designers et infographistes délirants de Core Design, l'héroïne du jeu *Tomb Raider,* – dont les première et deuxième versions se sont vendues à plus de huit millions d'exemplaires dans le monde – est la toute première superstar virtuelle. Née le 14 février 1968, elle

est britannique, mesure 1,70 m et pèse 55 kg. Ses grands yeux noisette, sa longue natte auburn frôlant ostensiblement une chute de reins à faire se damner un saint, ses longues jambes aux cuisses fuselées, ses seins opulents échappant aux lois outrageuses de la gravitation… tout en elle appelle à une réflexion profonde et à une concentration intense ! Cette déesse de l'intelligence artificielle en short kaki et débardeur moulant, dont la jarretière de cuir retient deux superbes et très phalliques Colt 45, hypnotise des millions de fans qu'elle entraîne dans d'incroyables aventures. Des toits de Londres au cœur de l'Inde, de la jungle luxuriante des îles du Sud-Pacifique aux glaces de l'Antarctique ou à la mystérieuse « Zone 51 » du Nevada, Lara est une infatigable aventurière qui assume les plus improbables missions. La dernière : retrouver les fragments dispersés aux quatre coins du monde d'une météorite qui s'est écrasée sur Terre pendant la préhistoire… Lara Croft est la femme du siècle idéale : belle et libre, ni trop jeune ni trop vieille, séductrice et guerrière. Mais entièrement façonnée par le désir et les fantasmes masculins…

• MARIE CURIE
(Manya Sklodowska)

(Varsovie, 7 novembre 1867 – Sallanches, 4 juillet 1934).

Manya grandit en Pologne sous la protection d'un père physicien et

d'une mère directrice d'un pensionnat de jeunes filles. Cette dernière meurt de tuberculose lorsque la fillette n'a que 11 ans. À 16 ans, Manya termine ses études secondaires : elle parle quatre langues et se passionne pour les sciences naturelles, l'anatomie et la radiologie qu'elle étudie dans une école privée, les universités étant interdites aux femmes. En 1891, elle rejoint sa sœur à Paris et s'inscrit à la Sorbonne. Deux ans plus tard, elle obtient la première place pour une licence de physique. Même chose pour les mathématiques. Elle épouse en 1895 Pierre Curie, professeur à l'École de physique et de chimie de la ville de Paris, et lui donnera deux filles : Irène en 1897 et Ève en 1904. Au sein du couple Curie, l'entente est parfaite. « Il était autant et plus que tout ce que j'ai pu rêver au moment de notre union », dira celle qui se fait maintenant appeler Marie. Reçue première à l'agrégation de physique, la jeune femme se penche sur les rayons uraniques que vient de découvrir René Becquerel. Travaillant avec son mari dans des conditions matérielles difficiles, elle découvre le radium. Pierre Curie obtient un poste de chargé de cours à la Sorbonne et Marie est nommée maître de conférences à l'École normale pour jeunes filles. Les deux époux et René Becquerel obtiennent le prix Nobel de physique en 1903. On crée une chaire de physique à la Sorbonne pour Pierre et Marie devient son chef de travaux. Il meurt, hélas, en 1906, renversé par un camion. En devenant titulaire de sa chaire de physique,

Marie est la première femme dans l'Histoire à occuper de si hautes fonctions au sein du monde universitaire. En 1910, elle termine son *Traité de radioactivité* et, un an plus tard, reçoit pour la seconde fois le prix Nobel (chimie). Jamais, depuis lors, celui-ci n'a été décerné deux fois à la même personne ! Elle fonde un Institut du radium en Pologne, à Varsovie, un autre à Paris et, pendant la guerre, abandonne la recherche pour former, avec sa fille Irène, des infirmières à utiliser les appareils radiologiques dans les hôpitaux. On demande dans le monde entier « l'infatigable petite robe noire » qui a mis sa vie au service de la recherche et de l'humanité. Après avoir rédigé, en 1934, un *Second Traité sur la radioactivité*, Marie meurt d'une leucémie provoquée par une trop fréquente exposition aux rayons X.

• ALEXANDRA DAVID-NEEL
(Alexandra David)

(Saint-Mandé, 1868 – Digne, 1969).

Son père est français et libre penseur, sa mère d'origine scandinave et bigote. Afin d'échapper à la tutelle de cette dernière, la petite fille rêve de voyages et souhaite devenir missionnaire. En attendant, elle étudie la philosophie et la musique puis, au cours d'un séjour à Londres, découvre la Société théosophique. Elle se plonge dans l'étude de la civilisation indienne et passe de longues heures, à Paris, au musée Guimet. Un héritage de sa marraine lui permet d'embarquer pour Ceylan

et les Indes, « le pays de tous les prodiges ». De retour en France, elle entame une carrière de chanteuse d'opéra qui la renvoie en Asie, à Hanoi. Au cours d'un voyage en Tunisie, elle rencontre celui qui deviendra, après quatre années de liaison tumultueuse, un mari compréhensif, Philippe Neel. Jamais il ne l'empêchera de mener à bien ses projets, dont celui de partir explorer une nouvelle fois, en 1911, le continent asiatique. Bouddhiste, Alexandra revêt la robe marron et l'écharpe orange des renonçants. Après Ceylan, Calcutta, Darjeeling, elle se rend au Sikkim et reçoit la protection du prince héritier Sidkêong. En 1913, elle fait la connaissance de Yongden qui, à 14 ans, abandonne tout pour la suivre dans ses périples pendant quarante ans. Elle tente une percée au Tibet mais s'en fait expulser. Elle ne renonce pas pour autant au projet de découvrir Lhassa. Déguisée en mendiante, elle renouvelle son approche et, cette fois-ci, réussit. Elle est la première femme étrangère à pénétrer, en 1924, dans la cité interdite et pendant deux mois y circulera sans que nul ne découvre sa véritable identité. Cette prouesse qu'elle racontera dans son ouvrage *Une Parisienne à Lhassa* la fera connaître dans le monde entier. Alexandra ne se laisse pourtant pas apprivoiser par le succès. Voyageant à pied ou à dos de mulet, elle reprend ses périples et se dirige vers la Chine avec son fils adoptif, Yongden. Elle en revient dix ans plus tard pour s'installer à Digne dans le Sud de la France où elle rédigera de nombreux livres et articles. On connaît *L'Inde où j'ai vécu : avant et après l'indépendance, Mystiques et magiciens du Tibet, La Lampe de sagesse, Le Lama aux cinq sagesses*. Elle a 101 ans lorsqu'elle meurt et sa secrétaire, Madeleine Peyronnet, dispersera ses cendres au-dessus du Gange, à Bénarès.

• ANGELA DAVIS

(États-Unis, 26 janvier 1944).

Angela Davis, issue d'une famille aisée et cultivée, a poursuivi des études de littérature française

puis de philosophie dans le Massachusetts avant de parfaire ses humanités sur le Vieux Continent, en France et en Allemagne. Elle retourne aux États-Unis en 1967, adhère au parti communiste puis participe aux actions du « Black Power » : émeutes et manifestations en tout genre rythment le quotidien des militants. En février 1970, elle crée un comité de soutien en faveur des « Black Panthers ». Le 13 octobre 1970, elle est arrêtée pour un crime qu'elle n'a pas commis, désignée du même coup comme « ennemi public numéro 1 » aux États-Unis. Grâce à la mobilisation générale de ses partisans et sympathisants, Angela Davis est réhabilitée puis libérée en 1972. Elle reprend son poste d'enseignante en philosophie et publie un livre sur *Les Rapports entre le racisme et l'oppression des femmes* (1977). Angela Davis est désormais un symbole pour tous les partisans de la liberté et de la tolérance, pour ceux qui luttent contre l'oppression sous toutes ses formes dans le monde entier. Elle demeure l'une des pasionarias de la gauche internationale luttant sans trêve pour la paix, l'égalité et un idéal de société égalitaire.

• RÉGINE DEFORGES
(France, 1936).
La compagne de l'éditeur Jean-Jacques Pauvert, connu pour ses publications sulfureuses, se lance elle aussi dans l'édition en 1968. Régine Deforges, à 32 ans, ambitionne d'être la première éditrice de France. De 1968 à 1972, elle fonde sa maison, L'Or du Temps, qui édite des livres érotiques et surréalistes, répertoriés dans un catalogue intitulé *La Conquête du sexe*. Mais son entreprise se heurte à de nombreuses difficultés, à la censure et à l'opprobre : les ennuis juridiques se succèdent, les saisies et les amendes pleuvent, l'éditrice est même, quelque temps, déchue de ses droits civiques. Après avoir publié 150 livres, la jolie rousse toujours vêtue de noir doit déclarer forfait et renoncer à sa maison d'édition. Quelques années plus tard, elle épouse le prince Wiazemski, petit-fils de François Mauriac, et décide de se consacrer à l'écriture. Elle remporte un grand succès avec son roman, *La Bicyclette bleue* (1982), vendu en France à plus de cinq millions d'exemplaires et réinvestit ses bénéfices dans une nouvelle entreprise d'édition, cette fois destinée au grand public, qui s'avère durable. Régine Deforges s'est assagie. Elle est désormais un écrivain honorable et respecté, membre de grands jurys littéraires (depuis sa participation à l'élection du prix Femina, en 1984).

• SONIA DELAUNAY
(Sophie Terk)
(Odessa, 1885 – Paris, 1979).
Après une enfance et une adolescence à Saint-Pétersbourg, Sonia s'initie à la peinture en Allemagne, à Karlsruhe, puis s'installe à Paris. Elle se marie tout d'abord avec un collectionneur puis en secondes noces épouse Robert Delaunay auquel elle insuffle son goût des couleurs vives. Avec lui, elle se tourne vers la peinture abstraite et, en 1913, peint le *Bal Bullier* puis, en 1914, *Les Prismes électriques*. Ne se contentant pas d'élaborer des tableaux, elle peint des reliures, des décors de théâtre ou des tissus à motifs géométriques destinés à devenir des vêtements. Elle illustre *La Prose du Transsibérien* de Blaise Cendrars, travaille avec Diaghilev pour le ballet *Cléopâtre* et, en 1937, réalise avec Robert Delaunay les fresques qui décorent le pavillon de l'Air et celui des Chemins de fer pour l'Exposition universelle. La mort de son mari survient alors qu'ils connaissent le succès. Tout en défendant l'œuvre qu'il laisse, elle poursuit la sienne et ses figures éclatantes ornent des tapisseries, de la céramique, des vitraux. On ne peut évoquer la peinture du XXe siècle sans mentionner la place importante qu'elle y occupe.

• CHRISTIANE DESROCHES-NOBLECOURT
(1913).
Passionnée par l'Égypte antique, elle donne dès l'âge de 20 ans des cours d'épigraphie. Sa nomination à l'École française du Caire marque le début de sa carrière d'égyptologue. Ses premières fouilles se déroulent au début de la Seconde Guerre mondiale. On la voit à Karnak où elle dirige deux cents ouvriers, et veille pendant l'occupation allemande au départ des antiquités égyptiennes du Louvre, dont elle est le conservateur en chef, pour le Sud-Ouest. Après avoir appartenu à la Résistance, elle est nommée, dès la Libération, conservateur en chef des Musées nationaux. Elle s'élève en 1955 contre le projet de construire un barrage qui pourrait anéantir les temples de Nubie. On lui doit la rénovation de la Vallée des Reines, à Louxor, et l'organisation de l'exposition autour de Toutankhamon qui se tient à Paris en 1968. En 1976, ce sera le tour de Ramsès II. Professeur d'histoire de l'art et titulaire de la chaire d'archéologie égyptienne de l'École du Louvre, Christiane Desroches-Noblecourt poursuit inlassablement sa mission le long du Nil. Elle a publié de nombreux ouvrages dont *Le Style Égyptien*, *La Religion égyptienne*, *La Femme au temps des pharaons* et *Ramsès II*.

• MARLENE DIETRICH
(Maria Magdalena von Losch)
(Berlin, 27 décembre 1901 – Paris, 6 mai 1992).

Fille d'officier, la belle Maria Magdalena consacre d'abord son adolescence à la musique. Mais ses rêves de virtuose sont vite brisés : une blessure la contraint à abandonner tout espoir de devenir violoniste professionnelle. À 22 ans, elle épouse un scénariste, Rudolf Siebert. Sous son impulsion, elle fait ses débuts au cinéma et enchaîne les films. Son port de reine, sa beauté glaciale, son allure de déesse hautaine et inaccessible conquièrent immédiatement le public. Josef von Sternberg ne s'y trompe pas : en 1930, il choisit de lui offrir le rôle de la mythique Lola, dévoreuse d'hommes au charme cruel. La garce magnifique en haut-de-forme, aux jambes gainées de résille, à la voix grave, qui tire de longues bouffées bleutées de son fume-cigare, pousse les hommes au désespoir et à la mort. Elle est la « vamp », sombre séductrice, la mythique femme fatale. *L'Ange bleu* connaît un succès retentissant qui vaut à l'actrice et à son cinéaste d'être accueillis avec tous les honneurs par la Paramount. Marlene sera la rivale de Garbo. « Lili Marlene » accompagne Josef von Sternberg jusqu'en 1935 : le couple cinématographique se sépare après le tournage de *La Femme et le Pantin*. Marlene continue cependant sa fantastique carrière, tournant avec Lubitsch, Lang ou Hitchcock, parmi tant d'autres. Pendant la Seconde Guerre mondiale, elle refuse de se rendre en Allemagne et de devenir l'égérie du nazisme : elle milite au contraire contre le

L E S   É G É R I E S

*Elsa Triolet
et Aragon.*

*Jacqueline Roque
et Picasso.*

Gala et Dali.

À travers l'histoire de l'art et de l'humanité, les muses fleurissent. Les grands hommes ont besoin d'aimer, d'être aimés mais aussi d'être inspirés, et la modernité ne change rien à la situation. Notre XXe siècle n'est pas avare d'inspiratrices. Misia Sert peut se vanter d'avoir enchanté par ses charmes et sa conversation Toulouse-Lautrec, Vuillard, Bonnard, Diaghilev et Cocteau. Dora Maar et Jacqueline Roque entrent à tour de rôle dans la jeunesse et l'automne de Picasso. Inspiratrice des surréalistes, Gala quitte Paul Éluard pour Salvador Dali, après une brève aventure avec Max Ernst. Lou Andreas-Salomé séduit Nietzsche et le poète Rainer Maria Rilke. Anaïs Nin et June se retrouvent dans l'œuvre sulfureuse de Henry Miller, amant de l'une et mari de l'autre. En achetant leurs tableaux alors qu'ils sont encore inconnus, Marie Laure de Noailles permet à de nombreux artistes tels De Chirico, Klee, Brancusi, Braque ou Chagall de poursuivre leur œuvre. Florence Gould reçoit Pierre Benoit, Paul Morand, Henri Michaud, crée une fondation, des prix littéraires et s'entoure d'œuvres d'art. Même chose pour une autre Américaine, Peggy Guggenheim, qui achète un palais à Venise pour y abriter les créations de ses amis Léger, Mondrian, Kandinsky, Brancusi et bien d'autres ! Et Aragon aurait-il été l'écrivain que l'on connaît sans Elsa Triolet ? Les photographes et les cinéastes n'échappent pas, eux non plus, à la règle puisque Man Ray, dans de surréalistes mises en scène, n'en finit pas d'immortaliser Lee Miller, et Woody Allen filme Diane Keaton puis Mia Farrow avec les yeux de l'amour. La musique prend le relais lorsque Paul McCartney chante Linda ou John Lennon Yoko. Aucune de ces égéries ne s'étant contentée de nourrir le génie masculin sans accomplir sa propre création, Mme Léon Blum avait assurément raison quand elle affirmait : « Derrière chaque grand homme se trouve une grande femme. »

*Yoko Ono
et John Lennon.*

IIIᵉ Reich et chante pour les Alliés. Son image en ressort grandie, ne paraissant pas plus qu'elle-même subir l'outrage des ans : dans son dernier film, tourné en 1972 – *Just a gigolo*, de Hemmings – cette femme de 80 ans assume encore à la perfection le rôle d'une maîtresse... Dans le sillage de Marlene, des hommes à sa démesure ont parachevé le mythe de l'émouvante séductrice : Douglas Fairbanks Jr., Gary Cooper, John Wayne, Jean Gabin ou Maurice Chevalier.
Un ange est passé...

• CÉLINE DION
(Québec, 30 mars 1968).

Élue femme de l'année 1998 par les Français, Céline Dion est parvenue au firmament des stars de la chanson après un parcours fulgurant. Le destin de la petite Québécoise semble avoir été tracé dès son enfance : benjamine d'une tribu de treize frères et sœurs, Céline – ainsi prénommée par sa mère en hommage à la célèbre chanson de Hugues Aufray – révèle très tôt son tempérament artistique, se produisant en public alors qu'elle n'a que 5 ans, à l'occasion d'un mariage. Onze ans plus tard, elle monte sur la scène de l'Olympia pour une première partie. Le public tombe immédiatement sous le charme de cette gamine aux grands yeux bruns, un peu gauche, qui se transforme devant le micro en une interprète exceptionnelle à la voix puissante et chargée d'émotion. Au début des années 90, elle remplit le Zénith de Paris puis le Palais omnisports de Bercy. En 1995, elle épouse son « Pygmalion », le manager René Angelil, de vingt-

six ans son aîné. Sous sa houlette, elle devient une personnalité incontournable du show-biz international, enregistre avec les Bee Gees, Luciano Pavarotti, Barbra Streisand, travaille avec Jean-Jacques Goldman et Georges Martin, l'« inventeur » du son des Beatles. Céline fait désormais partie de la « jet-set », côtoie les grands de ce monde, le pape, Elisabeth II ou le président Clinton. En 1995, c'est la consécration, avec l'interprétation de la chanson d'ouverture des Jeux olympiques d'Atlanta, *The Power Of the Dream*. Le rêve continue en 1998 lorsqu'on lui demande de chanter *My Heart Will Go On*, le thème du film *Titanic*, qui fait vibrer des millions de spectateurs dans le monde entier. Céline Dion incarne le nouveau romantisme de cette fin de siècle. A star is born !

• FRANÇOISE DOLTO
(Paris, 1908-1988).

Elle naît dans une famille bourgeoise et, très jeune, se passionne pour le travail de Sigmund Freud. En 1933, elle entame des études de médecine et, six ans plus tard, choisit pour sujet de thèse *Pédiatrie et Psychanalyse*. Sa carrière de psychanalyste sera essentiellement vouée aux enfants qui, dès leur naissance, doivent, selon elle, bénéficier d'un dialogue avec les parents, les pédiatres et les éducateurs. Dans de nombreux reportages, on la voit s'adresser à des bébés comme à des personnes à part entière et l'on constate des améliorations du comportement chez ceux qu'elle a entrepris de soigner. En 1971, elle décrit dans son ouvrage *Le Cas Dominique* la

guérison d'un enfant psychotique. Le grand public la découvre à partir de 1971 dans une émission de France-Inter où elle évoque son travail. En 1977, elle publie *Lorsque l'enfant paraît*. Suivent *La Difficulté de vivre* en 1981, *La Cause des enfants* en 1985, *Solitude* et *Tout est langage* en 1987. Membre fondateur de la Société française de psychanalyse et du Centre psychopédagogique du lycée Claude Bernard, Françoise Dolto fait autorité dans le milieu scientifique et on ne compte plus ses interventions dans les colloques de médecine, les journaux et les émissions télévisées et radiophoniques. Son travail a considérablement fait avancer l'approche des enfants et de l'être humain en général. Bien avant sa mort, elle était devenue l'une des plus importantes références dans le domaine de la psychanalyse.

• ISADORA DUNCAN
(San Francisco, 27 mai 1878 – Nice, 14 septembre 1927).

À 17 ans, Isadora, danseuse classique, monte des ballets avec sa sœur Élisabeth et ses deux frères, Augustin et Raymond. En 1898, ils partent s'installer à Londres, où Isadora parvient à se produire dans les salons et les galeries les plus fréquentés. Passionnée par la Grèce antique, elle s'en inspire pour créer des chorégraphies d'un style complètement nouveau, dansant pieds nus, enveloppée d'une toge, sur des musiques qui n'ont jamais été conçues pour un ballet : Schubert, Chopin ou Gluck. Elle remporte un succès aussi retentissant à Paris en 1902 ; Isadora est admirée par le gotha

intellectuel et artistique, comptant Rodin ou la princesse de Polignac parmi ses relations proches. Isadora collabore également avec Loïe Fuller, qu'elle accompagne sur scène à Berlin. Puis se succèdent des tournées à Florence, Monaco, Budapest, en Russie et à Broadway, en 1908. Quatre ans plus tôt, elle a ouvert une école à Berlin, dont s'occupe Élisabeth. Jusqu'à sa mort, la danseuse écume l'Europe pour y donner des récitals. Sa carrière est éblouissante mais sa vie privée s'avère tragique : ses trois mariages sont des échecs ; ses deux enfants, une fille de 6 ans et un garçon de 1 an, périssent en 1913, noyés dans une voiture dont le chauffeur avait omis de serrer le frein à main ; son dernier époux se suicide un an après leur séparation. En 1927, elle donne une dernière représentation à Paris, dansant sur l'*Ave Maria* et la *Symphonie inachevée*, de Schubert. Deux mois plus tard, elle meurt étranglée par la longue écharpe qu'elle avait coutume de laisser flotter au vent derrière elle, dont une extrémité s'est enroulée dans les rayons d'une roue de son automobile.

• MARGUERITE DURAS
(Marguerite Donnadieu)
(Gia Dinh, Cochinchine, 1914 – Paris, 1996).

Marguerite perd son père, professeur de mathématiques, lorsqu'elle n'a que 5 ans. Sa mère doit l'élever seule ainsi que ses deux frères. *Un barrage contre le Pacifique, Le Vice-Consul, India Song*

et *L'Amant* seront les témoignages autobiographiques de sa jeunesse asiatique. Son installation en France lui permet d'accomplir des études universitaires. Après un mariage avec Robert Antelme et une entrée au parti communiste, elle ne tarde pas à se tourner vers l'écriture. Jusqu'à la fin de sa vie, elle ne cessera d'écrire et ira de succès en succès. *Moderato cantabile* la fait connaître à plus grande échelle. Elle rejoint les auteurs du « nouveau roman » mais son style est reconnaissable entre tous. En obtenant le prix Goncourt, *L'Amant* lui donne une renommée internationale puisque Jean-Jacques Annaud en fait un film. Marguerite Duras s'est elle-même tournée vers le cinéma, *India Song, Le Camion, Agatha* perpétuent sur l'écran les thèmes qui lui sont chers : difficulté à communiquer et amour impossible. Marguerite Duras meurt à Paris en 1996, laissant derrière elle une œuvre qui compte dans la recherche littéraire du XXᵉ siècle.

• AMELIA EARHART

(Atchinson, Kansas, 1898 – Océan Pacifique, 1937).

Amelia est d'abord puéricultrice mais, après un baptême de l'air en 1919, elle se passionne pour l'aviation. À une époque où les femmes ne se risquent pas dans les « coucous », elle passe son brevet de pilote puis s'achète un avion. Très vite, elle devient une figure dans ce monde essentiellement masculin dont elle copie les tenues vestimentaires. Après que Lindbergh eut traversé l'Atlantique, on lui demande de relever le défi. Avec un pilote et un mécanicien, elle part de Terre-Neuve à bord d'un hydravion Fokker pour amerrir le lendemain au Pays de Galles. Après ce succès, l'aviatrice se prépare à de nouvelles aventures. Seule à bord d'un Lockheed Vega, elle quitte Terre-Neuve, mais un orage, en la privant de liaison radio, rend cette fois-ci la traversée périlleuse et elle atteint de justesse l'Irlande en battant toutefois le record du monde de distance féminin. Le Pacifique la tente et, en 1935, elle relie en solitaire Honolulu à San Francisco en un peu plus de dix-huit heures. L'année suivante, Amelia entreprend un tour du monde en compagnie de Fred Noomam. C'est en quittant la Nouvelle-Guinée pour rejoindre l'île d'Howland que son avion disparaît. Jamais on n'en retrouvera l'épave.

• ISABELLE EBERHARDT

(Meyrin, Suisse, 1877 – Algérie, 21 octobre 1904).

Fille naturelle de d'une exilée russe et d'un précepteur, Isabelle se tourne très jeune vers la marginalité. Parlant plusieurs langues, aimant s'habiller en homme, elle poursuit des rêves d'exotisme. En 1887, elle part pour l'Algérie avec sa mère et les deux femmes se convertissent à l'islam. Ce pays devient la terre d'asile d'Isabelle qui se transforme en cavalier arabe et se fait appeler Si Mahmoud Essadi. Le désert la fascine et elle y mène une existence de nomade, allant de tribu en tribu. Elle tombe amoureuse d'un sous-officier appartenant à un régiment de spahis de l'armée française et se marie selon le rite musulman avant d'être expulsée. De retour en France, elle décharge des navires dans le port de Marseille jusqu'à ce que Sliman Ehni la rejoigne et l'épouse officiellement, lui donnant ainsi la nationalité française. Aventurière dans l'âme, Isabelle retourne en Algérie et devient la correspondante de plusieurs journaux. Lyautey la rencontre et se déclare impressionné par ses connaissances du pays et de ses habitants. Avant d'être emportée par la crue d'un oued, elle écrit de nombreux textes constituant l'incroyable témoignage d'une femme moderne qui, n'ayant peur de rien, s'est élevée contre tous les carcans sociaux, religieux et moraux.

• JANE FONDA

(New York, 1937).

La fille de l'acteur Henry Fonda débute sur les planches, à ses côtés, dès l'âge de 17 ans. À 28 ans, elle épouse le cinéaste français Roger Vadim qui essaie d'être son « Pygmalion » et la fait tourner dans trois de ses films dont le plus célèbre reste *Barbarella*, en 1967. Après avoir mis au monde sa fille, Vanessa, Jane divorce en 1973 et se remarie avec Tom Hayden, politicien de gauche, membre de l'Assemblée de Californie. Pendant ce temps, « Lady Jane » enchaîne les rôles et décroche un Oscar avec son personnage de prostituée dans *Klute* (1971). Dix ans plus tard, son père obtient la même récompense en lui donnant la réplique dans *La Maison du lac*. Jane tourne avec les plus grands : Godard, Cukor, Pollack ou Preminger, mais elle ne se contente certainement pas de jouer les poupées blondes sexy. Miss Fonda prend fait et cause pour la paix au Viêtnam, contre le racisme et le nucléaire. Elle pousse le militantisme jusqu'à se rendre à Hanoi pour haranguer les GI'S, passant ainsi pour une traîtresse et héritant du sobriquet cynique de « Jane Hanoï ». Plus tard, elle soutient le combat de Lech Walesa et de Solidarnosc, avant de se ranger et de mener une vie de vraie femme d'affaires : elle crée et commercialise sa propre ligne de cosmétiques et de produits diététiques, devient une égérie de l'aérobic, écrit deux livres sur ses secrets de beauté... En 1983, elle est consacrée meilleur P.-d.g. de l'année aux États-Unis. En 1990, elle épouse en troisièmes noces Ted Turner, le fondateur de CNN, à la tête d'un véritable empire médiatique. Jane-la-révoltée incarne désormais la parfaite réussite à l'américaine.

• INDIRA GANDHI
(Indira Priyadarshini Nehru)

(Allahabad, 19 novembre 1917 – Delhi, 31 octobre 1984).

Née dans une famille brahmane originaire du Cachemire, Indira grandit dans un entourage de révolutionnaires. Son grand-père Motilal, riche avocat, puis son père, le célèbre Jawaharlal Nehru, luttent avec le Mahatma Gandhi pour l'indépendance de l'Inde. Adolescente, alors que son père est souvent emprisonné, elle crée l'Armée des Singes chargée de boycotter les produits anglais. Élève du poète bengali Rabindranath Tagore, elle poursuit des études universitaires en Suisse et en Angleterre avant d'être élue membre du Congrès à 21 ans. Son époux, Feroze Gandhi, qui n'a aucun lien de parenté avec le Mahatma, lutte à ses côtés contre les occupants britanniques. En 1947, le père d'Indira devient le Premier ministre de l'Inde libre. Oubliant son mariage, elle devient l'interlocutrice privilégiée de Nehru et se dévoue complètement à la politique. Elle l'accompagne dans le monde entier et noue des liens avec Tito et Nasser. En 1959, elle est nommée présidente du parti du Congrès. Le 19 janvier 1966, elle devient Premier ministre après avoir évité une guerre civile entre les Indiens et les musulmans pakistanais. À travers elle, tout un peuple tente de retrouver la politique de Nehru. L'économie se porte très mal, la famine est endémique, la croissance démographique galopante et le système des castes ralentit tout progrès. En 1969 et en 1971, le parti du Congrès remporte une majorité absolue, ce qui donne à Indira toute latitude pour mener la politique qui lui convient. On lui doit une réforme agraire, la réorganisation de la propriété foncière et une lutte contre l'analphabétisme. Peu à peu, Indira exerce un pouvoir absolu alors qu'elle dirige la plus grande démocratie de la planète. Cette situation attise les haines. On l'accuse de fraude aux élections de 1977, mais un court emprisonnement retourne l'opinion publique en sa faveur. Son retour en 1980 aux plus hautes fonctions couronne sa carrière politique mais, le 31 octobre 1984, elle est assassinée par l'un des sikhs extrémistes qui composent sa garde personnelle. Elle laisse à son fils Rajiv une Inde non alignée et occupant une place exceptionnelle au sein du continent asiatique.

• GRETA GARBO
(Greta Gustafsson)
(Stockholm, 18 septembre 1905 – New York, 15 avril 1990).

« La Divine » doit ses débuts au cinéma à sa grande beauté : orpheline à 14 ans, elle quitte l'école et trouve un travail de vendeuse dans une chaîne de grands magasins ; on l'y remarque et lui propose de tourner des spots publicitaires. Greta Gustafsson est engagée pour des petits rôles au cinéma avant d'être prise sous la protection du cinéaste Maurice Stiller qui lui trouve son pseudonyme. En 1925, elle tourne *La Rue sans joie*, de G. W. Pabst. Un des responsables de la MGM propose à Stiller et sa protégée de venir à Hollywood : Garbo signe un contrat de sept ans avec la célèbre usine à rêves. Le public tombe sous son charme, les hommes sont fascinés, les femmes cherchent à l'imiter. Elle représente une féminité sacralisée, par laquelle « la chair développe des sentiments mystiques de perdition[1]. » En 1927, elle tourne *La Chair et le diable*, de Clarence Brown, avec l'acteur John Gilbert ; leurs amours font sensation... Le couple à la ville et à l'écran se rencontre encore pour *Anna Karénine*, d'Edmund Goulding, en 1927, et *La Reine Christine*, de Rouben Mamoulian, en 1933. Les

1. In *Mythologies*, de Roland Barthes : « Le visage de Garbo », Le Seuil.

films se succèdent, faisant de Garbo la vedette incontestée de la MGM. L'avènement du parlant n'infléchit pas sa carrière, bien au contraire : sa voix posée et grave, profonde et mystérieuse, correspond parfaitement à son physique de femme fatale. En 1931, elle est *Mata Hari* sous la direction de George Fitzmaurice ; en 1939, Garbo éclate d'un rire absolument inédit et inoubliable dans *Ninotchka*, réalisé par Ernst Lubitsch. En 1941, elle tourne *La Femme aux deux visages*, de George Cukor, mais le public n'apprécie guère les deux facettes de la personnalité qu'elle incarne : d'un côté, femme réservée et inaccessible, de l'autre, une presque cocotte. On frôle la démythification ! Garbo ne s'en remet pas et abandonne le cinéma à l'âge de 36 ans.

• AVA GARDNER
(Grabtown, Caroline du Sud, 24 décembre 1922 – Londres, 25 janvier 1990).

À 19 ans, Ava quitte des parents agriculteurs et la Caroline du Sud pour suivre des études de dactylo. Son beau-frère, photographe, signale son exceptionnelle beauté aux studios de la MGM dont le patron, Louis B. Mayer, l'engage comme modèle. Tant qu'elle n'aura pas perdu son accent du sud, Ava devra se contenter de poser pour des maillots de bains et de jouer les figurantes. Sa rencontre avec l'acteur Mickey Rooney, l'enfant terrible de Hollywood, marque le début d'une vie amoureuse tumultueuse. Elle l'épouse le 25 mai 1943 mais, très

vite, ne supporte pas son goût prononcé pour les conquêtes faciles et le golf. Ils divorcent au bout d'un an. Le milliardaire Howard Hughes tente alors de la consoler en la couvrant de bijoux mais elle lui préfère le jazzman Artie Shaw avec lequel elle se marie pour s'en séparer aussitôt. Avec Frank Sinatra, marié et père de trois enfants, elle découvre enfin la passion et la jalousie. Leur voyage de noces se déroule en 1953 à Las Vegas mais les absences répétées d'Ava, réclamée par les plus grands réalisateurs, mettent un terme à leur idylle. Depuis 1946, date du tournage des *Tueurs* de R. Siodmak, elle est devenue une actrice que l'on s'arrache. En 1949, elle a tourné *Passion fatale*, toujours de Siodmak, puis aux côtés de James Mason *Pandora* d'Albert Lewin, en 1951. Au cours du tournage, l'actrice découvre les sortilèges de l'Espagne, les tavernes de flamenco, les corridas et les toreros. Ses liaisons avec Mario Cabré et Luis Miguel Dominguin défrayent la chronique. Elle enchaîne les *Neiges du Kilimandjaro* d'Henry King en 1952 puis *Mogambo* de John Ford où elle joue aux côtés de Clark Gable et de Grace Kelly. Éternelle amoureuse, sirène et femme fatale, Ava Gardner trouve avec *La Comtesse aux pieds nus*, en 1954, un rôle qui, en rejoignant sa propre destinée, instaure sa légende. Elle devient la parfaite incarnation des héroïnes de l'écrivain Ernest Hemingway, fait une nouvelle fois une extraordinaire prestation dans *La Nuit de l'iguane* de John Huston en 1964. Après une aventure avec l'acteur George C. Scott, elle déclare à près de 60 ans : « La vérité, c'est que j'ai toujours été heureuse de vivre et que je me suis bien amusée. »

• MARIELLE GOITSCHEL
(Var, 1945).

Le palmarès de Marielle Goitschel, dans les années 60 et 70, est exceptionnel : elle a remporté les principales courses internationales et obtenu quatre médailles d'or aux championnats du monde et aux Jeux olympiques (le combiné en 1962, le slalom géant et le combiné aux Jeux d'hiver de 1964, le slalom géant en 1966). Elle est la skieuse française la plus titrée. En considération de ses performances, Marielle Goitschel a reçu la Légion d'honneur, l'Ordre national du Mérite et le Grand Prix féminin de l'Académie des sports.

• JULIETTE GRÉCO
(Montpellier, 1927).

Après avoir commencé une carrière d'actrice au théâtre, Juliette Gréco se tourne vers la chanson, et triomphe pour la première fois au Bœuf sur le toit avec une chanson signée Raymond Queneau : *Si tu t'imagines*. Elle est la muse incontestée de l'existentialisme et de Saint-Germain-des-Prés, côtoie Boris Vian, Jean-Paul Sartre et consorts. Juliette hante de sa longue silhouette noire distinguée les nuits du Tabou ou de La Rose rouge. Prévert (*Les feuilles mortes*, en collaboration avec Kosma), Ferré (*Jolie Môme*), Dabadie (*Ta jalousie*, en collaboration avec Jonan) sont ses paroliers de prédilection. Juliette Gréco provoque l'émoi avec son célèbre *Déshabillez-moi* (concocté par Verlo, Niel et Legrand). Brassens lui écrit *Le Temps passé*, Sartre, *Les Blancs Manteaux*, Brel, *Je suis bien*. En 1952, elle se marie avec Philippe Lemaire, qui lui donne une fille. Juliette entame un tour de chant international, se rend partout en Europe, au Japon et aux États-Unis. On lui prête une liaison avec Miles Davis : les deux amants doivent rester discrets car les couples mixtes sont

encore tabous... Parallèlement, elle retourne au théâtre et découvre le cinéma. Elle tourne avec Melville, Renoir ou Preminger. En 1957, Zanuck, fou amoureux d'elle, lui offre des rôles dans plusieurs de ses films. Leur idylle dure jusqu'au début des années 60. En 1966, elle épouse Michel Piccoli, délaisse le cinéma et reprend les tournées. La dame frêle et pâle au regard cerné de noir garde une énergie d'acier. D'une génération à l'autre, son public lui reste fidèle.

FLORENCE GRIFFITH-JOYNER
(États-Unis, 1959-1998).

Le 18 juillet 1988, Florence Griffith-Joyner pulvérise le record du monde du 100 mètres, en 10"49... Mais en 1998 la « gazelle » américaine, également championne du 200 mètres et du 4 x 100 mètres, meurt brusquement à l'entraînement. On soupçonne les produits dopants d'être à l'origine de cette mort inexplicable. En dix ans, le corps de la sprinteuse s'était spectaculairement transformé.

• PEGGY GUGGENHEIM
(New York, 1898 – province de Padoue, 1979).
Issue d'une famille juive extrêmement fortunée, Peggy est la fille unique de Benjamin Guggenheim, disparu lors du naufrage du *Titanic*. À 21 ans, elle se trouve à la tête d'une immense fortune. Cette collectionneuse de tableaux et mécène invétérée s'installe à Paris puis épouse en 1922 le

sculpteur Laurence Vaïl qui lui donne deux enfants. Quelques années plus tard, elle rencontre Marcel Duchamp, qui l'introduit dans le milieu artistique et l'initie à l'art abstrait. Elle ouvre son premier musée d'art moderne à Londres, en 1939. Lorsqu'éclate la Seconde Guerre mondiale, elle retourne à New York et y épouse Max Ernst. Le 20 octobre 1942, elle ouvre la galerie « Art of this Century ». Peggy et Max divorcent un an plus tard mais Peggy Guggenheim reste très influencée par l'œuvre de son ex-mari et par le mouvement surréaliste dans lequel il s'inscrit. Elle continue de soutenir son travail et celui des artistes européens qui ont trouvé refuge chez elle : Marcel Duchamp, André Breton, Fernand Léger, Piet Mondrian. Elle lance également de jeunes talents américains, tels que Jackson Pollock. En 1946, elle achète un palais à Venise, en bordure du Grand Canal, où elle emménage avec ses chiens en 1951. La décoration et la conception de l'ameublement sont confiées à ses artistes préférés : Calder, notamment, dessine son lit. Peggy l'originale, aux lunettes et aux souliers excentriques, expose Braque, Picasso, Kandinsky, Dali, Brancusi et Giacometti, parmi beaucoup d'autres. Celle que les Vénitiens appellent « la dogaresse » coule paisiblement ses dernières années dans ce lieu magnifiquement paisible.

• GISÈLE HALIMI
(Gisèle Taïeb)
(La Goulette, Tunisie, 27 juillet 1927).

D'origine tunisienne, Gisèle Taïeb vient étudier en France et devient

avocate en 1948. Elle est inscrite au barreau de Paris en 1956. Au début des années 70, elle se rend célèbre pour ses prises de positions féministes, en faveur de la maternité libre et de l'avortement. En 1971, elle fonde l'association Choisir, et apporte une assistance juridique à des femmes contraintes de se présenter devant la justice pour avoir subi ou pratiqué une interruption volontaire de grossesse. En 1962, elle publie *Djamila Boupacha* – du nom d'une militante du FLN torturée par les autorités françaises durant la guerre d'Algérie – avec Simone de Beauvoir, puis *La Cause des femmes*, en 1973, *Le Procès d'Aix*, en 1978, *Le Lait de l'oranger*, en 1988, et *Une embellie perdue*, en 1995. De 1981 à 1984, Gisèle Halimi (nom de son premier époux, Paul Halimi) a été députée de l'Isère. De 1985 à 1986, elle a assumé la charge d'ambassadrice déléguée permanente de la France à l'Unesco. Gisèle Halimi continue de lutter pour le respect des droits des femmes et prend part aux grands débats politiques sur ce dossier.

• BILLIE HOLIDAY
(Eleanora Holiday)
(Maryland, 7 avril 1915 – New York, 17 juillet 1959).

Eleanora Holyday – surnommée « Billie » en hommage à Billie Dove, une actrice de l'époque – est confrontée dès sa plus tendre enfance à la violence et à la haine raciale. Sa mère, célibataire, la confie à des parents de Baltimore puis part chercher du travail à New York. La fillette doit rendre quelques « services » pour payer gîte et couvert à sa famille : elle est bonne à tout faire dans un bordel de la ville. La petite Billie y est violée dans l'indifférence générale. Elle a 13 ans lorsque sa mère la fait venir auprès d'elle mais Billie est arrêtée au bout de quelques jours parce qu'elle se prostitue. Elle sort de prison quatre mois plus tard et trouve un emploi de chanteuse payé au pourboire dans un beuglant miteux. Sa voix sensuelle aux accents parfois aigres est bientôt connue de la plupart des clubs de jazz de la ville. Peu à peu, Billie est engagée dans les meilleurs établissements puis passe à l'Apollo Theater, la Mecque du jazz et du « R&B ». En 1935, elle enregistre avec Duke Ellington, chante avec Ben Webster, Lester Young ou Roy Eldridge... Sous la houlette du manager de Louis Armstrong, Joe Glaser, elle signe bientôt ses propres albums, travaille avec Count Basie, Teddy Wilson et Benny Goodman, tourne dans les clubs les plus cotés de Chicago et Los Angeles. On passe ses tubes à la radio : *Lover Man*, *Strange fruit* ou *Gloomy Sunday*, banni des ondes en 1941 parce qu'il aurait provoqué plusieurs suicides... L'existence de Billie est en parfaite adéquation avec ce qu'elle chante : le désespoir amoureux, l'errance, la solitude, l'alcool et les drogues... bref, le « blues ». En 1946, elle enregistre avec Louis Armstrong. L'année suivante, elle est arrêtée pour usage de stupéfiants, puis se produit au Carnegie Hall. Au début des années 50, elle participe à des shows télévisés, alterne contrats et cures de désintoxication. En 1954, elle tourne en Europe, enregistre de nouveau avec Count Basie et son orchestre, mais celle que le saxophoniste Lester Young appelle affectueusement « Lady Day » est usée par l'alcool, les drogues, la vie. En mai 1959, elle donne son dernier show au Phoenix Theater de New York. Quelques jours plus tard, elle est hospitalisée, probablement pour overdose. À 44 ans, Billie s'éteint doucement, toute seule, dans des conditions déplorables. Une Noire qui meurt, fut-elle une chanteuse de génie, n'émeut pas grand-monde dans cette société encore ségrégationniste... Billie Holiday agonise pen-

dant plus de deux mois avant de rendre l'âme.
Treize ans plus tard, l'Amérique blanche s'est enfin décidée à reconnaître le talent de ses compatriotes « afro-américains ». Diana Ross rend hommage à « Lady Day » en reprenant son personnage dans un film qui lui est consacré, intitulé *Lady Sings the Blues*.

• **ODILE JACOB**
(France, 1954).
En 1985, Odile Jacob, 31 ans, lance sa propre maison d'édition, consacrée aux sciences humaines. Un an plus tard, elle remporte le premier succès d'une longue série en publiant *L'un est l'autre*, un essai d'Élisabeth Badinter qui rompt avec les concepts traditionnels du féminisme.

• **FRIDA KALHO**
(Mexico, 1907-1954).
Enfant, Frida contracte la poliomyélite, puis à 17 ans, elle est victime d'un accident de bus qui transformera sa vie en une souffrance de tous les instants. En 1928, elle adhère au parti communiste et rencontre le peintre Diego Rivera dont elle tombe éperdument amoureuse et qu'elle épouse en 1929. Il a 43 ans, elle 22. Frida peint elle aussi, notamment des autoportraits où, sans complaisance, elle se représente dans les corsets qui soutiennent sa colonne vertébrale. Son impossibilité à mener une vie normale et à enfanter donnent vite à son œuvre un caractère morbide. En 1938, elle rencontre Léon Trotsky et noue une liaison avec l'exilé russe. Sa première exposition se tient à la Julian Levy Gallery de New York puis elle présente son œuvre à Paris, en 1939. Picasso compte parmi ses admirateurs. Elle divorce de Diego, vit avec le photographe Nikolas Mauray puis retourne vers son mari. Sa santé se dégrade d'année en année et elle passe la majeure partie de son temps alitée, ce qui ne l'empêche pas de peindre. En 1950, on doit l'amputer d'une jambe. Avant de mourir d'une embolie pulmonaire en 1954, elle peut assister, couchée, à la grande rétrospective

que lui consacre Mexico. « L'art de Frida, écrira André Breton, est un ruban autour d'une bombe. »

• **OUM KALSOUM**
(Fatima Ibrahim)
(Égypte, 1898 – 3 février 1975).

Celle que les musulmans appelèrent plus tard « l'Étoile d'Orient » naît dans le delta du Nil. Fille d'imam, elle chante des sourates du Coran jusqu'en 1923 où un grand musicien la remarque et lui propose de venir au Caire afin d'être son élève. Très vite, la renommée de cette femme, qui possède une voix magique et une forte personnalité, grandit à travers le pays. Fascinant ses auditoires, elle peut enchaîner pendant des heures des poèmes d'amour qui deviennent des hymnes à la patrie. Elle joue aussi dans plusieurs films. À l'étranger, on l'ovationne et sa célébrité devient planétaire. Après une maladie de la thyroïde pendant laquelle la radio égyptienne diffuse tous les jours son bulletin de santé, Oum Kalsoum reprend ses tournées dans les pays arabes. Muse du poète Mohamed El Kasabgi, elle sait avec une magie particulière exprimer l'amour et la tristesse. À partir de 1975, sa santé lui joue à nouveau des tours. Son décès déclenche la consternation générale dans son pays qui depuis longtemps l'idolâtre. La foule en délire entoure son cercueil au cours de funérailles nationales. Oum Kalsoum laisse à la postérité plus de deux cent quatre-vingts chansons dont certaines durent plus de trois heures.

• **HELEN KELLER**
(Tuscumbia, Alabama, 1880-1968).

À l'âge d'un an et demi, la scarlatine laisse Helen sourde, muette et aveugle. Confiée à 7 ans au Perkins Institute de Boston, la petite fille se trouve sous la protection de Ann Mansfield Sullivan, elle-même atteinte de cécité partielle, qui lui apprend avec une infinie patience le langage des sourds-muets, le sens du toucher et l'écriture braille. À 10 ans, Helen parvient à prononcer certaines lettres puis, franchissant peu à peu les obstacles qui l'empêchent de communiquer avec le monde, apprend plusieurs langues et se passionne pour les arts, les lettres et les sciences. En 1907, elle sort diplômée de l'université de Radcliffe puis écrit des ouvrages à l'intention des handicapés. *Histoire de ma vie*, livre publié en 1902, relate ses combats pour sortir de la solitude dans laquelle l'enfermait son infirmité. Devenue un exemple de volonté et de ténacité, elle exhorte les gouvernements à se soucier davantage du sort des infirmes et parcourt le monde à la recherche de moyens financiers pour améliorer leurs conditions de vie. On lui doit aussi ses engagements en faveur du socialisme, du droit de vote féminin, de l'abolition de la peine de mort et de la paix.

• **GRACE KELLY**
(Philadelphie, 1928 – Monaco, 14 septembre 1982).
Petite-fille d'un émigré irlandais qui travaillait comme ouvrier dans une usine textile, fille d'un entrepreneur en travaux publics, Grace recherche dès son plus jeune âge

QUAND LES TUEURS SONT DES TUEUSES...

Violette Nozière.

Marie Besnard.

Le crime choque bien plus lorsque c'est une femme qui en est accusée. Souvent, la société répugne à savoir ce qui a pu motiver ce geste, et s'avère plus soucieuse de punir que de bien juger. En 1933, une grande affaire défraie la chronique... Violette Nozière, 18 ans, empoisonne ses parents avec du Véronal. Sa mère en réchappe. Pour expliquer le parricide, on parle de l'inconduite de Violette, qui se prostituait dans le Quartier latin. On occulte cependant un « détail » que l'écrivain-journaliste Marcel Aymé relèvera, écrivant à l'époque dans l'hebdomadaire *Marianne* : « En condamnant Violette Nozière sans vouloir entendre parler d'inceste, le tribunal s'est montré fidèle à l'une de ses plus chères traditions. Il a voulu affirmer le droit du père à disposer absolument de ses enfants, tout compris : droit de vie et de mort, et droit de cuissage aussi. » En 1934, Violette est condamnée à mort ; la peine est commuée à vingt ans de travaux forcés deux mois plus tard. Puis à douze ans de travaux forcés en 1942. Elle est finalement graciée par le général de Gaulle en 1946, puis réhabilitée par la cour de Rouen en 1963.

En 1949, c'est Marie Besnard qui fait trembler les braves gens. Elle est accusée d'avoir empoisonné à l'arsenic douze personnes. En 1952, le procès s'ouvre aux assises de Poitiers, mais les experts ne cessent de se contredire, la culpabilité de Marie semble difficile à démontrer. En 1961, elle est acquittée. Mais le doute plane toujours.

La criminalité féminine semble souvent le symptôme d'une crise, sociale ou familiale. Dans les années 70, on estime qu'un quart des terroristes allemands sont des femmes.

En 1995, Florence Rey survit à la cavale meurtrière qu'elle a menée avec Audry Maupin à Vincennes, dans laquelle quatre personnes ont été tuées de sang-froid, sans mobile apparent. Trois ans plus tard, on découvre à son procès une gamine farouche mais sympathique, dont on ne comprend pas le crime... Au même moment, on parle de la délinquance féminine qui ne cesse de croître, des bandes de filles qui sèment la terreur dans les cités... Le phénomène fait peur, on ne peut plus se contenter d'emprisonner, sans vraiment savoir pourquoi, les femmes qui tuent comme des bêtes aux abois.

Il est temps d'essayer de comprendre et de parler.

une reconnaissance sociale. Elle débute dans des films publicitaires mais sa grande beauté et son élégance la font remarquer par Fred Zinnemann qui, en 1952, lui offre le premier rôle féminin au côté de Gary Cooper dans *Le train sifflera trois fois*. Alfred Hitchcock la remarque à son tour et elle devient l'une de ses comédiennes fétiches. On la voit dans *Le Crime était presque parfait* (1954), *Fenêtre sur cour* (1954), *La Main au collet* (1955). La même année, elle reçoit l'Oscar de la meilleure actrice pour *Une fille de province* de Seaton mais on se souviendra surtout de *Haute Société* de Walters. En 1956, la bergère rencontre, à Cannes, le prince Rainier de Monaco qu'elle épouse et auquel elle donnera trois enfants : Caroline, Albert et Stéphanie. Devenue princesse, Grace renonce au cinéma et se consacre à la principauté, dont les femmes lui doivent le droit de voter. Elle meurt dans un accident de voiture alors qu'elle regagnait son palais de Monaco.

• JACKIE KENNEDY
(Jacqueline Bouvier)
(Southampton, 20 juillet 1929 – New York, 19 mai 1994).

Jacqueline Bouvier est française par ses origines. Après avoir accompli ses études au célèbre collège de Vassar, elle passe deux ans en Europe dont six mois à Paris. Engagée comme journaliste à son retour aux États-Unis, elle interviewe un séduisant sénateur démocrate : John Kennedy, de douze ans son aîné. En l'épousant en 1953, elle entre dans le puissant et controversé clan Kennedy et aussi dans la politique puisque son mari va bientôt s'engager dans la bataille présidentielle. Lorsqu'il est élu président des États-Unis, ils ont deux enfants : Caroline et John. Très vite, Jackie devient une remarquable « First Lady ». On aime sa séduction très personnelle, son élégance, ses tailleurs et ses chapeaux, on apprécie sa culture et son goût si français. Sous sa houlette, la Maison-Blanche brille de tout son éclat. Jackie est à la mode. On guette ses faits et gestes et, précédant Lady Di dans l'histoire des médias, elle est l'une des femmes les plus photographiées. À l'étranger, elle est le meilleur passeport de son époux et connaît un accueil triomphal à Paris. Sa vie qui, en apparence, ressemble à un conte de fées, se transforme néanmoins en tragédie, à Dallas, le 23 novembre 1963. John Kennedy est assassiné alors qu'il salue la foule, assis à côté d'elle. Qui ne se souvient de son tailleur rose éclaboussé de sang ? Jackie devient la veuve la plus célèbre et la plus respectée jusqu'à ce qu'elle rencontre Aristote Onassis, un milliardaire grec qui, pour elle, se sépare de Maria Callas. Au deuil succède l'énorme scandale, presque sacrilège, de son second mariage avec un homme « beau comme Créon » que beaucoup considèrent comme un aventurier. L'idylle dure peu de temps. Jackie mène sa vie de son côté, avec ses enfants. On lui reproche d'être vénale et de dépenser des sommes phénoménales. À la mort d'Onassis, elle commence à travailler dans l'édition et se rapproche à nouveau du clan Kennedy. Cette femme, qui a connu tous les honneurs et tous les drames, meurt d'un cancer.

Son inhumation auprès de l'ancien président dans le cimetière d'Arlington scelle sa réconciliation avec le peuple américain.

• HÉLÈNE LAZAREFF
(Hélène Gordon)
(Rostov-sur-le-Don, 1909 – Le Lavandou, 1988).

Hélène Gordon appartient à une riche famille d'industriels juifs qui ont quitté la Russie pendant la Révolution d'octobre. Après une brève installation en Turquie, les Gordon se réfugient à Paris, où Hélène suit des études d'ethnologie avant de faire la connaissance de Pierre Lazareff, qui lui confie la rubrique « Enfants » à *France-Soir*. Elle l'épouse en 1939 et, pendant la guerre, réside aux États-Unis où elle continue d'écrire des articles pour des magazines. En rentrant à Paris après la Libération, elle a l'idée de fonder un hebdomadaire féminin. *Elle* naît le 21 novembre 1945 et ne ressemble à aucun de ses prédécesseurs. Après des années d'inquiétude et de privations, le journal s'adresse à des femmes jeunes, modernes, gaies et dynamiques. La réussite ne se fait pas attendre. *Elle* devient une institution et dicte les modes. Un succès qui ne s'est pas démenti aujourd'hui.

• JEANNIE LONGO
(Grenoble, le 31 octobre 1958).

En 1979, cette jeune cycliste remporte son premier titre, en devenant championne du Dauphiné-Savoie, moins de trois mois après avoir débuté dans la compétition. Entre septembre et novembre 1986, Jeannie Longo établit dix records sans précédent, remportant, entre autres, le championnat

du monde sur route et de poursuite et le record du monde de l'heure féminin (43,587 km). En 1987, elle gagne le Tour de France féminin (de même qu'en 1988 et 1989) et, pour la troisième fois, le championnat du monde de cyclisme sur route. Le milieu du sport lui décerne alors le titre de « Champion des champions » de l'année. La jeune sportive force le respect des hommes qui ne peuvent que s'incliner et saluer ses exploits. Elle est l'égale des meilleurs d'entre eux... Grâce à Jeannie Longo, le cyclisme féminin a gagné ses lettres de noblesse.

• ROSA LUXEMBURG
(Pologne, 1870 – Berlin 1919)

Jeune fille issue de la bourgeoisie juive polonaise, Rosa Luxemburg suit ses études à Varsovie puis à Zurich à partir de 1889. Elle y fait la connaissance de Léo Jogiches, un révolutionnaire russe qui l'initie au militantisme et restera son compagnon pendant près de quinze ans. En 1897, Rosa obtient son doctorat en droit et économie politique. Un an plus tard, elle part vivre à Berlin et se voit accorder la nationalité allemande après avoir contracté un mariage blanc. Rosa, petite et boiteuse, pleine d'une énergie hors du commun, est une fantastique oratrice qui ne tarde pas à devenir une des grandes figures de la social-démocratie allemande et polonaise. Elle écrit beaucoup : des articles, des livres, des ouvrages révolutionnaires. Elle prône la tolérance et la justice, convaincue que la liberté implique le respect de l'opinion d'autrui, quelle qu'elle soit. À partir de 1906, elle enseigne l'économie politique à l'école du SPD. Lorsqu'elle discerne les prémices de la Première Guerre mondiale, elle se distingue par une prise de position antimilitariste et pacifiste très ferme et passera une bonne partie de la guerre en prison, enfermée en 1915 pour avoir incité des soldats à l'insubordination. Pendant ce temps, Rosa Luxemburg prend du recul par rapport au bolchevisme et à la Révolution russe. Celle que Lénine appelait

« l'Aigle » songe à prendre une autre direction. En 1918, « Rosa la Rouge » fonde le groupe révolutionnaire Spartakus, avec son amie féministe Clara Zetkin et Karl Liebknecht, son coéditeur pour le journal *Le Drapeau rouge*. Rosa Luxemburg devient l'un des membres fondateurs du parti communiste allemand, officiellement créé le 1er janvier 1919. Elle participe, avec une conviction modérée, à la révolution spartakiste et meurt assassinée par les corps francs. Son œuvre marxiste demeure impérissable : elle est notamment l'auteur de *L'Accumulation du capital* (1913), de *L'Introduction à l'économie politique* (1925) et d'un article fameux qui l'oppose à Lénine, intitulé « Questions d'organisation de la social-démocratie russe ».

• MADONNA (Louise Ciccone)
(États-Unis, 1958).

En 1958, Louise Ciccone est l'aînée d'une famille nombreuse américaine d'origine italienne. Elle perd sa mère à l'âge de 6 ans et vit une adolescence douloureuse. Louise commence par être danseuse dans la troupe de Patrick Hernandez (« Born to be alive ») avant de grimper elle-même sur le devant de la scène. Les ados se reconnaissent aussitôt en cette jeune « punk » de pacotille, portant crucifix en sautoir. La blonde explosive aux mains gainées de mitaines déferle dans le monde du show-biz en 1984 : devenue Madonna, elle chante *Like A Virgin* avec un déhanchement des plus provocateurs. En quatre ans, elle vend vingt-cinq millions d'albums. Elle sait qu'elle est sexy, le revendique, en use et en abuse. En 1985, le film *Recherche Susan désespérément*, dans lequel elle donne la réplique à Rosanna Arquette, est un franc succès. Elle ne cesse de surprendre, se moque des critiques, séduit un public de plus en plus large. Madonna est un « phénomène » dans toute l'acception du terme, un produit de ce siècle sur lequel on se penche en sociologue... « Elle se métamorphose comme une hallucination, c'est un catalogue en action, en un sens, elle n'existe pas », déclare Philippe Sollers dans *Paris-Match* en 1987. Cette bombe sexuelle au look fluctuant selon l'air du temps se transforme peu après en nouvelle Marilyn dans son show *Who's That Girl* et, en tournée, jette sa petite culotte à des milliers de fans hystériques. Travailleuse acharnée, elle a modelé son corps au gré de sa carrière, a minci, s'est musclée. Elle choque et émeut, publie un livre de photographies érotiques dont elle est le principal sujet, encourage les rumeurs qui la disent bisexuelle. Madonna cultive son image de star décadente et décalée, de femme généreuse et sensible. Avec la naissance de sa fille Maria-Lourdes, en 1997, elle semble toutefois bien décidée à adopter un mode de vie plus rigoureux. En 1998, l'album « Ray of Light » présente l'image d'une Madonna plus douce, plus féminine, quasi mystique, entichée de magie... Prête à envoûter le public du XXIe siècle.

• MATA HARI
(Margaretha Geertruida Zelle)
(Leuwarden, 7 août 1876 –Vincennes, 15 octobre 1917).

Dès l'adolescence, Margaretha Zelle, fille de négociants néerlandais, est une vraie tête brûlée. Elle refuse le sage destin qui lui est réservé, rechignant à devenir institutrice et à être une femme définitivement rangée. Pour échapper à l'emprise familiale, elle épouse à 18 ans un officier de l'armée coloniale hollandaise qui a le double de son âge. Le capitaine Rudolf Mac Leod l'emmène vivre aussitôt en Indonésie, à Java. Il lui donne deux enfants : une fille et un fils, qui meurt, probablement empoisonné par une domestique. Cette vie asiatique s'avère certainement bien plus dure que Margaretha n'aurait pu l'imaginer, d'autant plus que son mari, rongé par une jalousie maladive, se révèle souvent très violent. En 1902, elle repart pour la Hollande avec sa fille et obtient le divorce. Toujours en quête d'émotions inédites, elle décide de conquérir Paris, s'inventant un personnage de courtisane sulfureux : elle est désormais Mata « Hari », ajoutant à l'abréviation de son prénom un patronyme imaginaire signifiant « Œil du jour » en javanais. Mata Hari affirme être fille d'un brahmane et d'une bayadère, s'enveloppe de multiples voiles, danse – assez mal au demeurant, affirme Colette – en faisant onduler son grand corps bronzé aux seins minuscules. Mata Hari se produit au music-hall et dans les meilleurs salons, faisant tourner la tête des Parisiens... Elle a de nombreux amants, voyage beaucoup, est surveillée par la police française. Car la belle a des velléités d'espionne : la guerre a refréné ses activités artistiques, elle a vieilli, on se lasse d'elle. Sous le code de H.21, elle devient donc agent de l'Allemagne. Sa prestation dans ce domaine n'est pas plus brillante que dans les autres, mais elle fournit tout de même quelques petits renseignements. Le commandant Landaux, chef du contre-espionnage français, depuis longtemps agacé par son manège, finit par l'arrêter le 13 février 1917. Le 24 juillet, elle est condamnée à être fusillée. Clemenceau refuse de la gracier, il veut faire un exemple. Contre toute attente, l'aventurière acquiert sa dimension mythique au moment précis de son exécution : pour la première fois de sa vie, elle fait preuve d'un grand courage et d'une dignité admirable, refusant qu'on lui bande les yeux, révélant une bravoure insoupçonnée. Margaretha Zelle meurt dans les fossés de Vincennes. Mais Mata Hari est plus vivante que jamais.

• GOLDA MEIR
(Golda Meyerson, née Mabovitch)
(Ukraine, 3 mai 1898 – Jérusalem, 8 décembre 1978).

En 1915, Golda Mabovitch coule une existence paisible avec sa famille installée à Milwaukee, dans le Wisconsin, et travaille avec sa mère dans la petite épicerie familiale. Cette quiétude est bouleversée lorsqu'elle fait la connaissance de deux jeunes sionistes qui ont été chassés de Palestine par les Ottomans et rêvent de rétablir Israël : Ben Gourion et Isaac Ben Zyi. Golda adhère à leur projet et s'inscrit au parti sioniste ouvrier. Elle décide ensuite de quitter son foyer, parce que ses parents refusent de l'inscrire à l'université. La jeune fille part pour Denver, trouve du travail dans une blanchisserie et suit des cours du soir en compagnie de nombreux intellectuels juifs, s'attachant plus spécifiquement à l'étude de la philosophie. En 1918, elle devient institutrice et épouse Morris Meyerson, un Juif russe qui lui donne deux enfants. Pendant ce temps, Golda Meyerson poursuit son ascension politique, devenant oratrice à l'American Jewish Congress. Le 23 mai 1921, elle décide d'aller jusqu'au bout de sa démarche et embarque avec mari et enfants sur le *Pocahontas*, direction la Palestine... Elle pose le pied sur la Terre promise après moult péripéties, à l'âge de 23 ans. Pendant trois ans, le couple vit dans un kibboutz, près de

Nazareth, puis part s'installer à Tel-Aviv. Golda prend rapidement une place importante dans la vie politique du pays, occupant des postes élevés au sein du Conseil ouvrier féminin puis de la Confédération générale des travailleurs israéliens. Elle travaille en étroite collaboration avec plusieurs ministres et son ami d'adolescence, Ben Gourion. En 1938, elle se sépare de son mari qui lui avait demandé de renoncer à la politique. Entre 1945 et 1947, elle participe à la lutte contre le pouvoir britannique qui fait obstacle à la création d'un État juif. David Ben Gourion étant contraint de s'exiler, elle devient responsable du Bureau politique et hébraïse son nom : elle entre ainsi dans l'Histoire sous le nom de Golda Meir. Le 14 mai 1948, Ben Gourion proclame la création de l'État juif d'Israël. En juin de la même année, Golda Meir est nommée ambassadrice en Union soviétique, puis revient en Israël pour y occuper pendant sept ans le poste de ministre du Travail et gérer le flux des millions d'immigrés. En 1956, elle change de portefeuille et assume le ministère des Affaires étrangères. Elle occupe cette fonction durant dix ans, nouant de précieux contacts avec les divers pays d'Afrique et les États-Unis. En 1967, celle qu'on surnomme « Madame Courage » doit prendre sa retraite pour raison de santé. Mais le 7 mars 1969, à presque 71 ans, la « grand-mère d'Israël » est rappelée aux affaires du pays : Levi Eshkol, le successeur de David Ben Gourion vient de mourir. On lui demande d'accepter le poste de Premier ministre, notamment pour éviter une situation de crise au sein du gouvernement. Celle que David Ben Gourion se plaisait à décrire comme « le seul homme » de son gouvernement mène le pays avec une intransigeance qui va parfois jusqu'à compromettre la paix. Golda Meir nie le problème palestinien, refusant même d'aborder le sujet. En 1973, on murmure qu'elle est responsable – avec Moshe Dayan, alors ministre de la Défense – des échecs essuyés par les Israéliens pendant la guerre du Kippour. Supportant mal ces critiques et leurs implications, elle démissionne le 10 avril 1974. En 1975, elle publie ses Mémoires. En 1977, elle rencontre le président Anouar el-Sadate à Jérusalem. Elle meurt un an plus tard, après avoir entendu le message de paix venu d'Égypte.

• MARILYN MONROE
(Norma Jean Baker Mortenson)
(Los Angeles, 1er juin 1926 – Brentwood, 5 août 1962).

Norma Jean voit le jour en Californie. Son père lui demeure inconnu et sa mère, à l'équilibre mental perturbé, ne peut s'occuper d'elle. La petite fille devient pupille de la ville de Los Angeles et on la confie à différentes familles avant qu'elle n'entre à l'orphelinat à l'âge de 9 ans. Un premier mariage en 1942 avec un brave garçon, James Dougherty, lui donne un semblant de foyer, mais elle est remarquée par une agence de mannequins, qui lui permet de tourner un bout d'essai pour la Fox. Sa carrière débute réellement avec *Quand la ville dort* de John Huston. Le public découvre son ravissant visage, sa silhouette pulpeuse, son irrésistible charme et sa voix de femme-enfant. Dès le début des années 50, elle enchaîne de bons films où elle prouve qu'elle est une excellente comédienne, mais c'est *Les hommes préfèrent les blondes* de Howard Hawks qui fait d'elle une star. Suivent *Comment épouser un millionnaire* de Jean Negulesco (1954), *Sept Ans de réflexion* de Billy Wilder (1955), *Arrêt d'autobus* de Joshua Logan (1958) où elle tient un rôle dramatique, *Certains l'aiment chaud*, encore avec Billy Wilder (1959) puis *Le Milliardaire* de George Cukor (1960). Considérée comme LE sex-symbol du siècle, Marilyn collectionne les liaisons orageuses et les divorces. Après avoir été mariée en secondes noces avec le joueur de base-ball Joe Di Maggio, elle croit trouver la sécurité en épousant le célèbre auteur dramatique Arthur Miller mais c'est un nouvel échec. Marilyn, qui a hérité de la fragilité psychique de sa mère, est incapable d'assumer son succès alors qu'elle est au sommet de sa carrière. Déçue par sa vie privée, elle accumule les dépressions nerveuses et on l'interne en hôpital psychiatrique. L'absorption régulière de tranquillisants la font arriver en retard sur les plateaux de cinéma et, après le tournage des *Désaxés*, la Fox rompt son contrat. Ses relations sentimentales avec le président John Kennedy puis avec le frère de celui-ci, le sénateur Robert Kennedy, achèvent de la déstabiliser. On la retrouve morte un matin d'août 1962 dans sa villa californienne. S'agit-il d'un suicide comme on a voulu le faire croire ? De nombreux témoignages tentent aujourd'hui de prouver le contraire.

• JEANNE MOREAU
(Paris, le 23 janvier 1928).

Entrée au Conservatoire de Paris à 18 ans, pensionnaire de la Comédie-Française un an plus tard, Jeanne Moreau est une surdouée des planches. En 1952, elle est engagée au TNP par Jean Vilar. Elle passe ensuite des grands rôles classiques au théâtre de boulevard avec le même bonheur, à l'aise dans la comédie comme dans les pièces tragiques. Son minois pétillant ou grave, son aptitude à jouer les reines comme les soubrettes, sa profonde intelligence du jeu scénique, sa beauté, lui permettent de passer en 1957 devant les caméras : d'abord celle de Louis Malle, avec *Ascenseur pour l'échafaud* et *Les Amants* ; puis celle d'Antonioni, de Peter Brook, de Welles pour *Le Procès*, et de Truffaut, avec *Jules et Jim* et *La Mariée était en noir*. Jeanne Moreau incarne l'esprit de la Nouvelle Vague, celui d'une femme libre : de ses choix, de ses paradoxes, de ses pulsions. Son image n'est ni fabriquée ni figée. Elle est l'une des premières stars à savoir vieillir, à savoir exploiter la maturation de sa beauté. Elle passe de même d'une génération de réalisateurs à l'autre, faisant confiance aux nouveaux venus tels que Blier (pour *Les Valseuses*, en 1973) ou Téchiné (pour *Souvenirs d'en France*, en 1975). À la fin des années 70, elle tente de passer elle-même à la réalisation, mais subit deux échecs. En 1975, elle préside le Festival de Cannes, obtient le Molière de la meilleure comédienne en 1988 et le César de la meilleure actrice en 1991. Sa carrière continue sans marquer aucun temps d'arrêt : Jeanne joue pour Besson (*Nikita* en 1990), et Wenders (*Jusqu'au bout du monde*, en 1991). Les stars montantes du cinéma français et américain la prennent pour référence, lui rendant publiquement hommage, comme Vanessa Paradis ou Sharon Stone. Et personne n'oublie les nombreux airs des chansons que Jeanne Moreau a rendus célèbres, emportant *Dans le tourbillon de la vie* l'image d'une femme de cœur et d'esprit toujours aussi bouleversante...

• MARTINA NAVRATILOVA ET CHRIS EVERT-LLOYD
(Tchécoslovaquie, 1956) et (Floride, 1954).
Leurs noms sont indissociables dans l'histoire du sport. Durant les années 70, ces deux tenniswomen se sont affrontées sur les terrains du Grand Chelem. La finale

de Wimbledon, en 1984, reste gravée dans les annales comme l'un de leurs « duels » les plus spectaculaires.

Cette même année, Navratilova gagne 74 matches d'affilée. De 1974 à 1986, elle empoche plus d'argent qu'aucun sportif avant elle : 22 millions de dollars, sans compter les contrats publicitaires. De 1981 à 1984, elle remporte 248 « simples » sur 254... Cette Tchécoslovaque installée aux États-Unis en 1975 est réputée pour son service à la volée, puissant, presque masculin, et son jeu d'attaque tout en force : Martina ne cache pas son homosexualité, et considère son corps ultra-musclé comme celui d'un homme. Sa vie privée, qui fait les délices de la presse à scandale, a contribué à retarder l'attribution de son acte de naturalisation (finalement obtenu en 1981). Aussi franche et directe que généreuse, elle soutient de grandes causes humanitaires et devient en très peu de temps l'un des personnages publics les plus en vue des États-Unis. Immigrée et lesbienne, elle est la « championne » des minorités...

Face à elle, Evert-Lloyd, « Chrissie », représente l'Américaine douée issue de la classe moyenne, très féminine et épouse modèle, menant une vie sans histoires. Mais sous ses airs de femme rangée, Chris Evert est une sportive d'exception : de 1973 à 1979, elle remporte 125 matches d'affilée et, de 1974 à 1986, gagne une succession de Grands Chelems. Elle a triomphé sept fois à Roland-Garros et trois fois à Wimbledon.

Les deux Grâces du tennis ne sont détrônées qu'à partir de 1987 par la jeune Allemande Steffi Graf. Après elles, le tennis féminin a changé : plus incisif, plus performant. La relève est assurée.

• ANAÏS NIN
(Neuilly-sur-Seine, 1903 – Los Angeles, 1977).
Son père, Joaquim Nin, musicien, entraîne femme et enfant dans ses tournées en France et en Espagne puis les abandonne alors que Anaïs n'a que 9 ans. Désespérée, la fillette commence à écrire un journal, alors qu'elle s'installe avec sa mère à New York pour ne revenir en France qu'en 1920. Après avoir épousé Ian Hugo, graveur et cinéaste, elle rencontre, en 1934, Henry et June Miller avec lesquels elle noue une relation étroite et ambiguë. Participant à la vie parisienne et intellectuelle de l'entre-deux-guerres, Anaïs continue d'écrire son journal qui deviendra un monument littéraire puis, aidée par Otto Rank, se lance dans une carrière de psychanalyste qu'elle abandonne rapidement pour se consacrer à la création littéraire. « Lorsque je n'écris pas, je sens mon univers se rétrécir. Je me sens en prison. Je sens que je perds mon feu, ma couleur. » L'abandon du père, l'intensité qu'elle met à vivre, son regard sur les artistes qui l'entourent, nourrissent une œuvre sincère, parfois scandaleuse, où la féminité est mise à nu au propre comme au figuré. *La Maison de l'inceste, Sous une cloche de verre, Les Miroirs dans le jardin, Une espionne dans la maison de l'amour, Vénus Érotica* (coécrit avec Henry Miller), *Le Roman de l'avenir* reflètent sa conquête d'identité, une introspection sans complaisance et sa passion pour les artistes.

• CHRISTINE OCKRENT
(Belgique, 24 avril 1944).
Fille d'un diplomate belge, diplômée de Sciences-Po et Harvard, Christine Ockrent a fait ses premières armes à la télévision américaine. Grand reporter, elle se fait remarquer en 1978 en réalisant une interview d'Amir Abbas Hoveida, ancien Premier ministre

du schah, alors qu'il se trouve en prison, deux jours avant son exécution. Elle est en charge du journal de 8 heures sur Europe 1 lorsque Pierre Desgraupes, P.-d.g. d'Antenne 2, la contacte et lui propose de présenter le 20 heures sur sa chaîne... Sa grande rigueur professionnelle, son ton qui rappelle le meilleur du style agencier, sa volonté de garder ses distances avec le pouvoir, son charme digne et un peu froid, lui valent de s'imposer très rapidement. Plus de 15 millions de téléspectateurs suivent quotidiennement son journal. En octobre 1982, elle est nommée responsable des journaux du soir. En janvier 1983, elle devient rédactrice en chef d'Antenne 2. Les hebdomadaires et les magazines d'information titrent sur sa prodigieuse ascension professionnelle. En 1985, on lui décerne deux « Sept d'Or ». Elle rejoint la rédaction de RTL après avoir quitté Antenne 2. Celle qu'on surnomme « la reine Christine », en référence à Garbo, ne veut pas céder aux sirènes de la gloire médiatique mais désire continuer à faire consciencieusement son travail de journaliste. En mai 1987, elle assume la fonction de directeur général adjoint à TF1, la chaîne privatisée ayant été achetée par le groupe Bouygues. Refusant de se plier aux contraintes de l'Audimat, toujours éprise d'indépendance, elle laisse ce nouveau poste pour retourner au 20 heures d'Antenne 2. Elle y demeure quelque temps puis se retire pour animer les débats politiques de « Soir 3 » sur France 3. En 1997, elle fonde

L'Européen, hebdomadaire d'actualités européennes.

• MARIE-JOSÉ PÉREC
(Guadeloupe, Basse-Terre, 9 mai 1968).

Marie-José Pérec est la seule championne olympique française à avoir remporté le 400 mètres deux fois de suite, à Tokyo en 1991 lors des championnats du monde, puis à Barcelone en 1992 lors des Jeux olympiques. En 1996, aux Jeux olympiques d'Atlanta, elle accomplit un nouvel exploit en remportant le doublé 400 mètres- 200 mètres. Elle est également détentrice de cinq records de France (pour le 100 mètres, le 200 mètres, le 400 mètres, le 4 x 100 mètres et le 4 x 400 mètres). « Marie-Jo » est installée depuis 1994 aux États-Unis, à Los Angeles, où elle suit l'entraînement de John Smith, célèbre « coach » américain des stars de l'athlétisme. Sa carrière a cependant été ralentie, en 1997 puis 1998, par l'accumulation de divers incidents et de multiples blessures. Mais sa rage de vaincre demeure intacte.

• EVITA PERÓN
(Maria Eva Duarte)
(Los Toldos, 1919 – Buenos Aires, 1952).
Maria Eva Duarte naît en Argentine, à deux cent cinquante kilomètres de Buenos Aires, dans un milieu d'agriculteurs. Fille illégitime d'un fermier, elle est élevée par sa mère qui lui enseigne l'inverse de ce qu'elle vit elle-même : une femme, pour s'en sortir, doit trouver un protecteur. Eva

n'a plus qu'une idée en tête : devenir riche. Profitant de sa beauté, elle suit, à 14 ans, un médiocre chanteur de tango jusqu'à Buenos Aires. Sa deuxième ambition est de devenir actrice mais son manque de talent et son accent terrien sont des handicaps. Grâce à ses amants, Eva obtient néanmoins des petits rôles au cinéma et à la télévision. En 1943, elle commence à être connue grâce à un feuilleton radiophonique hebdomadaire *Mon royaume pour l'amour*. Elle rencontre le ministre de la Guerre Juan Perón en 1943, au cours d'une fête. Malgré leur différence d'âge, Eva devient sa maîtresse. Très vite, elle le soutient dans son action politique, et aide à le délivrer lorsqu'il est emprisonné dans l'îlot de Martin Gracia au milieu du Rio de la Plata. Il l'épouse le 21 octobre 1945. Élu à la présidence le 24 février 1946, Juan Perón entame une carrière de dictateur. Eva continue de le soutenir et organise l'actionnariat ouvrier ainsi que la retraite pour les travailleurs. On doit aussi à leur étroite collaboration l'expropriation des grands domaines, la nationalisation de la banque centrale, celle des chemins de fer. L'action d'Eva, surnommée Evita, en faveur des pauvres et des déshérités la rend extrêmement populaire au sein de son pays. Elle se bat aussi pour le droit de vote des femmes et fonde le parti péroniste féminin. Mais Evita, que l'on soupçonne de détourner de l'argent sur des comptes en Suisse et qui vit dans un luxe inouï, est décriée à travers le monde. Sa

tournée en Europe se solde par un cuisant échec. La maladie, une leucémie foudroyante, va l'emporter à l'âge de 33 ans. C'est une sainte, une madone que pleure tout un peuple. Au fil des années, son culte demeura intact et, après la création d'une comédie musicale qui sera un succès, la chanteuse Madonna incarnera au cinéma celle qui avouait : « J'ai une seule ambition personnelle : que le prénom d'Evita figure quelque part dans l'histoire de mon pays. »

• ÉDITH PIAF
(Giovanna Gassion)
(Paris, 1915 – 11 octobre 1963).

Giovanna Gassion naît dans l'univers de la rue. Son père est acrobate, sa mère (d'origine italienne) écuyère et chanteuse. « Enfant de la balle », elle est élevée tant bien que mal par une grand-mère ayant un penchant prononcé pour l'alcool et une tante péripatéticienne. Pendant trois ans, la petite fille, victime d'une cataracte, perd la vue. La légende veut qu'elle la retrouve au cours d'un pèlerinage à Lisieux. Dès l'âge de 10 ans, Giovanna apprend à récolter de l'argent en chantant dans les rues, accompagnée à l'accordéon par son père. Après une vie de misère, Édith est remarquée en 1935 alors qu'elle chante, toujours dans la rue, par Louis Leplée qui dirige un cabaret, le Gernys. Il l'engage et elle devient la môme Piaf, en référence à la môme Moineau. En 1936, Louis Leplée est assassiné et elle se trouve à nouveau dans la misère jusqu'à ce que Robert Asso prenne sa carrière en main et la fasse entrer, en 1937, à

l'ABC où elle passe en vedette américaine avant Charles Trenet. Frêle, menue, toujours habillée d'une petite robe noire, la môme Piaf devient Édith Piaf. Le public est conquis par sa voix puissante, rauque et bouleversante. « Chaque fois qu'elle chante, on dirait qu'elle arrache son âme pour la dernière fois », déclare Jean Cocteau qui lui écrit *Le Bel Indifférent* qu'elle joue avec Paul Meurisse. La vie amoureuse d'Édith est loin d'être calme. Yves Montand et Charles Aznavour, qu'elle lance, font partie de ses nombreux amants auxquels s'ajoutent Jacques Pils qu'elle épouse pour vite le quitter, le cycliste Girardin, Georges Moustaki qui compose pour elle *Milord*. Acompagnée par les Compagnons de la Chanson elle connaît un triomphe à New York où elle rencontre le boxeur Marcel Cerdan qui devient « l'homme de sa vie » et pour lequel elle chantera *L'Hymne à l'amour*. Leur passion ne dure hélas que deux ans. Celui que l'on surnomme « le Bombardier marocain » périt dans un accident d'avion au-dessus des Açores. Pour Édith, c'est le désespoir mêlé à la culpabilité car il venait la rejoindre aux Étas-Unis. Si son succès ne cesse de grandir, sa santé laisse de plus en plus à désirer. Elle a recours à l'alcool et aux tranquillisants et son physique décline. *Non, je ne regrette rien*, une chanson qu'elle considère comme son testament, fait le tour du monde. À la fin de sa vie, Édith trouve un semblant de réconfort auprès d'un jeune homme de 27 ans, Théo Sarapo, qu'elle épouse en 1962. Un an plus tard, par une journée d'automne, s'éteint une femme usée qui avait connu une tentative de suicide, quatre accidents de voiture, quatre cures de désintoxication, une cure de sommeil, trois comas hépatiques, sept opérations et qui, pourtant, n'avait cessé de chanter *La Vie en rose*.

• MARTHE RICHARD
(Marthe Richer)
(Meurthe-et-Moselle, 1889 – Paris, 1980).
À 16 ans, Marthe Betenfeld est inscrite comme prostituée dans

les registres policiers. En 1905, elle épouse un certain Henri Richer, très fortuné, mandataire aux Halles. Sa richesse permet à Marthe d'assouvir sa passion pour l'aviation et d'être une des premières Françaises à décrocher le brevet de pilote d'avion. Elle affirme être ensuite devenue espionne au service de la patrie pendant la Première Guerre mondiale, mais les historiens demeurent cependant plus que dubitatifs quant à ses faits d'armes. Après la mort de son mari, elle aurait travaillé en Espagne, aurait pris pour amant un haut gradé de la marine allemande, sillonnant le ciel aux commandes de son « coucou » sous le pseudonyme de « l'Alouette »... Le reste de sa biographie demeure tout aussi fantaisiste jusqu'en 1945. À cette époque, elle est devenue éminemment respectable, accédant même à la fonction de conseiller municipal à Paris. Elle mène alors une campagne acharnée pour la fermeture des bordels. Marthe Richard obtient gain de cause et passe à la postérité pour avoir suscité la loi qui porte son nom, datée du 13 avril 1946, obligeant les maisons closes à cesser leur activité.

• FRANÇOISE SAGAN
(Françoise Quoirez)
(Cajarc, 21 juin 1935).
Françoise Quoirez est originaire du Lot. Son premier roman, *Bonjour tristesse*, publié aux éditions Julliard alors qu'elle n'a que

LE RIRE AU FÉMININ

Joséphine Baker.

Muriel Robin.

Sophie Daumier
et Guy Bedos.

La féminité ne prête pas à rire. L'image du clown ou de l'humoriste est dépourvue de sensualité et d'érotisme, et c'est certainement pourquoi on trouve peu de personnages comiques féminins. Au début du siècle, Joséphine Baker fait le pitre et reste érotique, une ceinture de bananes autour des hanches : l'exostime et la nudité font passer la dérision. La beauté aussi : au cinéma, les « ravissantes idiotes » sont légion. Parmi les plus célèbres, Marilyn, B.B., Jane Birkin ou Mireille Darc ont eu ce genre d'emploi. Inversion des rôles dans les années 70 : Annie Girardot incarne dans de nombreux films comiques l'épouse révoltée, dont le mari (par exemple dans son tandem avec Louis de Funès) est souvent pleutre et ridicule. Elle est la passionaria des féministes, dont le personnage de forte femme sera rejeté par le public au début des années 80. Surgit alors une nouvelle race de « drôlesses » – presque ses filles spirituelles – issues du café-théâtre : Josiane Balasko, Marie-Anne Chazel, Dominique Lavanant, Anémone, Miou-Miou qui jouent sur un pied d'égalité avec leurs partenaires masculins. Certaines d'entre elles se produisent dans des « one woman shows » tandis que d'autres changent de rôle ou continuent sur leur lancée, fonctionnant toujours en partie grâce à leurs partenaires masculins. Quelques atypiques, telles que Zouc et Sylvie Joly, donnent en spectacle leur frénésie drôlatique aux frontières de la folie douce. Les années 90 sont marquées par l'émergence de Valérie Lemercier, Charlotte de Turckeim et surtout de Muriel Robin. Toutes se moquent de la bourgeoisie – leur propre univers – mais Robin se démarque des autres : elle écrit et met en scène pour des hommes, mettant à profit son propre côté androgyne. Parallèlement, Josiane Balasko fait de même pour le cinéma et réalise le premier film mettant en scène l'homosexualité féminine : *Gazon Maudit...* Le rire n'est plus forcément « le propre de l'homme »...

18 ans, révolutionne le monde littéraire et provoque le scandale. On juge amorale la romancière qui dépeint la jalousie d'une jeune fille pour la nouvelle femme de son père et raconte sans détour l'amour libre au sein de sa génération. « Ce charmant monstre de dix-huit ans », la baptise François Mauriac. Un monstre que l'on traduit dans toutes les langues. Toutefois, Françoise ne se laisse pas tourner la tête par le succès. *Un certain sourire, Dans un mois dans un an, Aimez-vous Brahms*, tous les trois adaptés à l'écran, confirment ses dons pour l'écriture et instaurent un style qui n'appartient qu'à elle. Loin de mener une existence retirée, Françoise est de toutes les fêtes. Originale, ne faisant que ce qui lui plaît, aimant les voitures de sport et la vitesse, les casinos et le bruit des jetons, les boîtes de nuit ou Saint-Tropez, elle échappe à un accident de voiture qui aurait pu lui être fatal. Après une douloureuse convalescence, Françoise Sagan (elle a choisi dès le début de sa carrière ce pseudonyme) continue de dépeindre avec sa petite musique désenchantée, ironique, le monde fortuné, sophistiqué et cynique dans lequel elle évolue. Elle a le génie des titres : *Un peu de soleil dans l'eau froide, Des bleus à l'âme, Un orage immobile, Un sang d'aquarelle* s'échelonnent entre 1969 et 1987. Parallèlement, elle écrit pour le théâtre, publie son autobiographie où elle évoque tour à tour Orson Welles et Tennessee Williams. En 1998, paraîtra *Pardessus mon épaule* où, pour la première fois, un auteur se penche sur son œuvre afin de la juger. Sa

vie privée est faite de hauts et de bas. Après un mariage avec l'éditeur Guy Schoeller en 1958, elle épouse Robert Westhoff et lui donnera un fils avant de s'en séparer. À plus de 60 ans, Françoise Sagan reste l'enfant terrible de la littérature.

• NIKI DE SAINT PHALLE (Marie Agnès)
(Neuilly-sur-Seine, 1930).

À 18 ans, Marie Agnès quitte sa famille pour vivre avec le poète Harry Mathews, avec lequel elle aura deux enfants. Elle commence une carrière de peintre, expose à Saint-Gall en Suisse puis s'installe, seule, à Paris et se consacre à la sculpture. À partir de 1960, celle qui se fait appeler Niki partage la vie de Jean Tinguely et, avec lui, expose à travers le monde. Ses œuvres ne ressemblent à aucune autre, particulièrement les Nanas qui la rendent célèbre, créatures énormes en plastique polychrome donnant une curieuse idée de la féminité. Avec le même humour, la même fantaisie, elle imagine un bestiaire qu'elle peint de couleurs éclatantes. Puis elle se penche sur « Le Jardin des Tarots », situé en Toscane, où elle représente les vingt-deux lames majeures du jeu. Originale, talentueuse, scandaleuse parfois, Niki livre à travers une œuvre attachante et bariolée le monde de l'enfance et celui du rêve en utilisant des matériaux résolument modernes.

• CLAUDIA SCHIFFER
(Allemagne, 1970).

À 18 ans, une simple sortie dans une boîte de nuit transforme la vie de Claudia en conte de fées. Remarquée par une directrice de l'agence Metropolitan, elle débute une carrière de mannequin à Paris. Le magazine *Elle* la lance et Karl Lagerfeld en fait son mannequin fétiche, chez Chanel. 1,80 m, blonde, mince et pourtant pulpeuse, Claudia offre une image saine, naturelle et sexy. Certains la comparent à la poupée Barbie, d'autres à Brigitte Bardot. Elle est tout simplement Claudia dont on copie la démarche, commente les faits et

gestes, notamment sa rencontre avec David Copperfield, le célèbre illusionniste américain. À 27 ans, en 1997, Claudia gagne 87 millions de francs par an et se classe en tête des top models. Aux côtés de Naomi Campbell et Cindy Crawford, Claudia Schiffer a représenté tout au long des années 90 l'image de la star, davantage que n'importe quelle actrice de cinéma.

• LADY DIANA SPENCER
(Grande-Bretagne, 1ᵉʳ juillet 1961 – Paris, 31 août 1997).

Fille du comte de Spencer, écuyer de la reine Elisabeth II, et de la vicomtesse Althorp, la jeune Diana grandit dans un cadre princier, le château royal de Sandringham, où elle a pour compagnons de jeux les princes Andrew et Edward... Ses parents ne s'entendent pas, et le divorce du

couple Spencer est prononcé en 1969. Diana poursuit d'abord des études assez médiocres à l'institut du Norfolk, puis dans une école suisse, avant de devenir jeune fille au pair et d'être engagée comme assistante dans une école maternelle. À son retour, elle rencontre fréquemment Charles, le prince héritier de la couronne d'Angleterre. Trois ans plus tard, Charles lui fait une cour assidue et le 4 février 1981 Diana accepte officiellement de l'épouser. Les médias s'emparent de cette belle histoire, se prenant d'affection, ainsi que le peuple d'Angleterre, pour cette future princesse si attendrissante. Elle a 20 ans, elle est jolie, souriante, un peu timide, elle paraît parfaitement digne du destin historique qui lui est promis. Le mariage a lieu le 29 juillet 1981 dans la fastueuse cathédrale Saint-Paul, en présence de plusieurs dizaines de chefs d'État. Sept cents millions de téléspectateurs suivent la cérémonie, émerveillés, devant leur poste de télévision. L'archevêque de Canterbury, qui marie le couple, déclare en ce jour mémorable : « Ce mariage est de l'étoffe dont on fait les contes de fées[1] » ... En juin 1982, la monarchie est assurée de sa descendance : Diana donne le jour au prince William. La princesse prend elle-même en main l'éducation de ses enfants et s'investit dans de nombreuses œuvres caritatives. Elle prend de plus en plus d'assurance, offrant l'image d'une aristocrate proche de son peuple, sensible aux souffrances et aux peines d'autrui. Mais le reste de la famille royale prend ombrage de cette incroyable popularité. Charles se montre de plus en plus froid et distant, dépassé par cette femme bien plus charismatique que lui. En 1985 et 1986, les journaux titrent sur les relations de plus en plus houleuses du jeune couple. La presse reproche à Diana son caractère trop autoritaire, ses dépenses vestimentaires, ses sorties, son côté trop « sexy » et ses amitiés, notamment avec Sarah

1. In *Les Destins tragiques du siècle*, de J. Mazeau, Éditions Hors Collection, 1998.

Ferguson. Diana et Charles s'éloignent inexorablement l'un de l'autre. Pendant ce temps, la princesse continue de courir le monde et de soutenir de grandes causes humanitaires : malades du sida, orphelins, chômeurs. Mais les journaux à sensation commencent à la harceler, on parle de ses multiples tentatives de suicide, d'éventuels amants. Pour couronner le tout, l'idylle de Charles avec Camilla Parker Bowles est étalée au grand jour. Fin 1992, le Premier ministre John Major annonce la séparation à l'amiable de Charles et Diana. Dès lors, la famille royale traite Diana comme une pestiférée, ne manquant pas une occasion de la discréditer. Sa vie intime est disséquée par tous les tabloïds anglais, les scandales se succèdent. Le 28 août 1996, le divorce du couple princier est prononcé. Elle commence une nouvelle vie, traquée par les paparazzi, mais poursuit ses activités humanitaires, se rendant dans le Bronx, chez les lépreux, s'engageant contre l'usage des mines antipersonnel ou rencontrant Mère Teresa. Elle va au Cambodge, en Angola ou en Bosnie pour militer en faveur de la paix. Elle n'est plus princesse, mais elle reste la très médiatique « Lady Di ». Le 11 août 1997, son amour pour Dodi Al-Fayed, dont le père est un vieil ami de la famille Spencer, fait la une des magazines. Le 30 août, Diana et son chevalier, qui viennent de passer des vacances à Saint-Tropez, décident de s'arrêter à Paris avant de regagner Londres. Vers minuit, ils quittent le Ritz pour se rendre dans l'un des appartements de Dodi. Poursuivie par des paparazzi, leur Mercedes percute l'un des piliers du pont de l'Alma. Dodi est tué sur le coup. Un peu plus tard, à quatre heures du matin, Diana meurt des suites d'une hémorragie pulmonaire. Le samedi 6 septembre l'enterrement de Lady Di est aussi émouvant et fastueux que l'avait été son mariage. De nombreuses personnalités du monde politique, des arts et du spectacle assistent aux obsèques. Elton John lui rend hommage en chantant *Candle In the Wind*, d'après une chanson écrite pour Marilyn Monroe. Plus de trente mille personnes suivent le convoi qui doit conduire Diana jusqu'à sa dernière demeure, sur une île isolée dans la propriété des Spencer, à Althorp. La « Princesse du peuple » est entrée dans la légende.

• LES « SPICE GIRLS »

(Melanie Janine Brown : Mel B, née le 25 mai 1975 ; Victoria Addams, née le 7 avril 1975 ; Geri Estelle Halliwell, née le 6 août 1972 ; Melanie Jayne Chisholm : Mel C, née le 12 janvier 1976 ; Emma Lee Bunton, née le 21 janvier 1978... sur la foi de leurs déclarations).

Les cinq filles de ce « girl's band » décapant cultivent l'impertinence juvénile et la provoc' façon midinettes « destroy ». Lancé sur le marché pour battre les garçons sur leur propre terrain, ce groupe recruté sur petites annonces et monté de toutes pièces par Virgin Records interprète des « tubes » taillés sur mesure pour un public adolescent gavé de dance, de rap et de house, fana de mangas et de jeux vidéo. Les « Spice » donnent, comme leur nom l'indique, une image plutôt détonnante de la féminité, désireuses de s'affirmer les égales des garçons, dragueuses et scandaleuses, « kitsch », superficielles et sans complexes. Chacune des filles est supposée incarner une composante, sociale, ethnique ou culturelle, de leur public de jeunes : une Black, une « baby doll », une sportive, une apprentie top model, une « rebelle féministe »... Autant d'archétypes fallacieux en prêt-à-consommer. Pourtant, au-delà de ces clichés, les Spice Girls proposent une pop sirupeuse assez convaincante et énergique qui fréquente régulièrement le sommet des charts : *Wannabe*, leur premier single, a été disque d'or en deux semaines. Le groupe survivra-t-il au départ de Geri ? Peu importe : les Spice Girls font partie du décor médiatique de cette fin de millénaire.

• SHARON STONE
(États-Unis, 10 mars 1958).

D'abord mannequin puis actrice de films de série B avant de faire une brève apparition dans *Stardust Memories* de Woody Allen, Sharon Stone est révélée en 1992 par Paul Verhoeven (qui lui avait déjà confié un rôle secondaire dans *Total Recall*, deux ans auparavant) dans le thriller *Basic Instinct* où elle donne la réplique à Michael Douglas. Elle y incarne une romancière à la beauté hitchcockienne et machiavélique soupçonnée d'avoir tué un de ses amants avec un pic à glace. Le film fait scandale car le personnage de Sharon est très ambigu, cynique et provocateur : dans une scène d'interrogatoire particulièrement torride, Sharon écarte négligemment les cuisses et chacun peut constater qu'elle ne porte pas de culotte... On dit que c'est la sulfureuse actrice elle-même qui a eu l'idée de ce détail affriolant. Toujours est-il que sa carrière prend ensuite un bel essor – son cachet s'élève désormais à plus de 4 millions de dollars par film – et que l'on s'intéresse de près à sa vie privée, évidemment tumultueuse. Sharon est une « don juane » impitoyable. Un de ses anciens amants, l'acteur Hart Bochner, l'appelle même « l'Antéchrist »... « Je me sers de ma sexualité comme d'un instrument et je n'en ai pas honte », déclare-t-elle dans *Paris-Match* en 1993. Sharon Stone a bouleversé l'image classique de la star hollywoodienne, se démarquant des clichés glamour inféodés à la libido masculine, mettant en avant son caractère résolument indépendant et sa sensualité exacerbée.

MÈRE TERESA
(Agnès Gonxha Bajaxhiu)
(Skopje, 26 août 1910 – Calcutta, 3 septembre 1997).

Née en Yougoslavie dans une famille albanaise et pratiquante, Agnès Gonxha Bajaxhiu est initiée dès son plus jeune âge aux Évangiles. À 18 ans, elle décide de devenir missionnaire et entre dans l'ordre des Sœurs de Notre-Dame-de-Lorette. Elle part en 1929 pour les Indes et entame son noviciat à Darjeeling, au cœur des montagnes himalayennes, où elle prononce ses premiers vœux et devient Mère Teresa. Envoyée à Calcutta, elle enseigne la géographie à Sainte-Marie, un collège de jeunes filles appartenant à la caste des brahmanes. Le 10 octobre 1946, elle quitte son poste afin de se consacrer aux plus déshérités et s'installe dans les quartiers populaires de la ville où sévit une révoltante misère, devenant même citoyenne indienne. Elle troque la robe de bure contre le sari blanc bordé de bleu et, en

1950, fonde l'ordre de la Charité (quinze ans plus tard, il sera élevé au rang de congrégation pontificale) où la rejoignent d'anciennes élèves du collège Sainte-Marie. Elle ouvre tout d'abord une école en plein air pour les enfants pauvres puis, près du temple de la déesse Kali, un mouroir. S'y ajouteront peu à peu un dispensaire, une maternité et, en 1957, une léproserie pour laquelle elle demande l'aide internationale. Son ordre s'étend aux cinq continents et, inlassablement, elle parcourt les quatre cents maisons religieuses qui, réparties dans soixante-seize pays, appliquent ses méthodes. Secourant tous ceux pour lesquels elle représente l'ultime secours, elle dispense soins et compassion. De son vivant, on la considère déjà comme une sainte. En 1979, elle reçoit le prix Nobel de la Paix. Au cours de son voyage en Inde, le pape Jean-Paul II visite son Centre missionnaire ainsi que la Maison des mourants. Aux Nations-Unies, on la considère comme la femme la plus puissante du monde. Elle obtient un cessez-le-feu pendant la guerre à Beyrouth, ouvre un centre pour les malades du sida à New York, obtient un visa pour l'Albanie, le pays de ses ancêtres. Aucun drame, aucune infirmité ne laisse indifférente celle qui tente de soulager la douleur de l'humanité. Après un infarctus, elle souhaite se retirer mais jusqu'à son décès, en 1997, on la verra se consacrer aux plus pauvres parmi les plus pauvres. Les dirigeants indiens lui feront des funérailles nationales.

• MARGARET THATCHER
(Margaret Roberts)
(Grantham, Lincolnshire, 13 octobre 1925).
Fille d'un épicier, Margaret Roberts bénéficie d'une bourse pour accomplir ses études au collège de Sommerville à Oxford. Tout d'abord chimiste, elle comprend très vite que la politique l'intéresse et se présente comme candidate dans une campagne électorale à Dartford. Après avoir épousé l'homme d'affaires Denys Thatcher, avec lequel elle a des jumeaux, elle est nommée en

1961 secrétaire parlementaire au ministère des Pensions et Assurances sociales. En 1970, elle devient secrétaire d'État à l'Éducation et à la Science et, en 1975, prend la tête de son parti. Les conservateurs ayant remporté les élections de 1979, Margaret est élue Premier ministre du Royaume-Uni le 4 mai 1979. Pour la première fois, une femme est aux commandes d'une grande nation européenne. Elle hérite d'une situation économique et sociale difficile mais ne cède pas devant les syndicats. Sa politique internationale, notamment anti-européenne, est dure, ce qui lui vaut son surnom de « Dame de fer ». Dès son arrivée au pouvoir, elle engage une politique de privatisations et tente de sauver la livre. Le chômage, qui ne cesse d'augmenter, la rend impopulaire et il faudra l'envoi des troupes britanniques dans les Malouines que veut s'approprier l'Argentine pour remonter sa cote. Elle est réélue en juin 1983. Un an plus tard, Margaret échappe, dans un hôtel de Brighton, à un attentat organisé par l'IRA qui lui reproche son attitude inflexible envers l'Irlande. Avec les années 80, sa politique ne déclenchant aucun miracle, le chômage continuant de galoper, le taux d'inflation atteignant 11 %, Margaret n'est plus en grâce au sein du parti conservateur. L'instauration d'une nouvelle taxe d'habitation accélère sa chute et elle en perd la présidence, ce qui entraîne deux jours plus tard sa démission de son poste de Premier ministre.

Après onze années Thatcher, les Anglais aspirent à une autre politique.

• SIMONE VEIL
(Simone Annie Jacob)
(Nice, 13 juillet 1927).

En mars 1944, après de brillantes études de droit à Paris, Simone Annie Jacob est déportée à Auschwitz avec ses parents, son frère et sa sœur. Sur son bras est tatoué le matricule 78 651 alors qu'elle n'a que 17 ans. Simone et sa sœur survivent. En 1946, elle épouse André Veil, inspecteur des Finances, qui lui donne trois fils. Elle a repris ses études interrompues, obtenu sa licence de droit et le diplôme de l'Institut d'études politiques de Paris. À 30 ans, Mme Veil est attachée au ministère de la Justice, dans l'administration pénitenciaire ; elle se montre particulièrement attentive au sort des prisonniers et tente d'améliorer leurs conditions de détention. Elle travaille également à la législation sur l'adoption, et sur l'éducation surveillée. En 1969, elle est nommée conseiller technique de René Pleven, garde des Sceaux. Un an plus tard, elle est secrétaire générale du Conseil supérieur de la magistrature. Simone Veil semble vouée aux plus hautes fonctions qu'aucune Française ait jamais exercées. À la fois maternelle et pleine d'assurance, féminine et sécurisante, cette grande femme brune au chignon strict et au regard vert d'une étonnante acuité sait s'imposer très naturellement dans le milieu éminemment masculin de la politique. En 1972, elle devient membre du conseil d'administration de

l'ORTF. Deux ans plus tard, le président Valéry Giscard d'Estaing, bien inspiré par Jacques Chirac, la fait entrer au gouvernement au titre de ministre de la Santé. Lui sont confiés les délicats dossiers de la réforme des hôpitaux et des études médicales, de la Sécurité sociale et d'une campagne contre le tabagisme. Mais sa plus éclatante victoire reste la légalisation de l'avortement et la loi sur la contraception. Les débats qui ont précédé l'adoption de ces deux mesures ont été particulièrement houleux mais ont révélé la force paisible et l'intelligence de cette grande figure politique. Simone Veil quitte son ministère en 1979 pour devenir présidente de l'Assemblée européenne jusqu'en 1982 et de sa commission juridique jusqu'en 1984. Elle préside ensuite le groupe libéral et démocrate du Parlement européen jusqu'en 1989 et reste membre de l'UDF... Simone Veil poursuit son parcours atypique, indépendante et entièrement dévouée à ses idéaux de justice et de démocratie, obtenant le pouvoir sans jamais le rechercher, populaire sans aucune démagogie.

• WALLIS WARFIELD
(Pennsylvanie, 1896 – Paris, 1986).
Wallis Warfield perd très jeune son père. Sa mère l'élève dans les règles de la bonne bourgeoisie américaine et elle fait des études dans un collège réputé de Baltimore. Jolie, possédant une forte personnalité, Wallis n'obéit qu'à une obsession : être la première dans le domaine de la séduction. Elle rencontre son premier mari en Floride. Earl Winfield Spencer est aviateur. En 1922, alors qu'il est muté en Chine, elle mène une vie indépendante et on lui prête plusieurs liaisons. Après un séjour en Europe, elle rejoint son époux en Chine où on l'accuse de mener une vie aventureuse et de participer à certains trafics (drogue et jeu). Elle divorce à son retour aux États-Unis et rencontre un homme d'affaires britannique, Ernest Aldrich Simpson, qui l'épousera à Londres en 1928. C'est en novembre 1930 qu'elle

est présentée au prince de Galles qui, en succombant à son charme, provoquera un énorme scandale. La cour s'inquiète, davantage encore à la mort de George V en 1936. Le prince de Galles, devenu Edward VIII, est sommé par son entourage de quitter l'aventurière américaine, deux fois divorcée. Rien n'y fait et il abdique en décembre 1936 en déclarant officiellement qu'il ne peut régner sans l'appui de la femme qu'il aime. Wallis deviendra duchesse de Windsor à Candé, en Touraine, où sera célébré son troisième mariage le 3 juin 1937. Après des voyages en Europe, le couple choisit de s'installer à Paris, dans une propriété du bois de Boulogne. Edward sera enterré en 1972 dans la chapelle du parc de Windsor et Wallis l'y rejoindra en 1986. Reconnaissante à la France de l'accueil que celle-ci leur aura réservé pendant leur exil, la « duchesse scandaleuse » choisira l'Institut Pasteur comme son légataire universel et laissera de nombreux dons à des organismes de charité ou à des musées.

• MARGUERITE YOURCENAR (Marguerite de Crayencour)
(Bruxelles, 8 juin 1903 - Maine, États-Unis, 1987).

Marguerite de Crayencour est franco-belge par ses parents. Sa mère meurt quelques jours après sa naissance en formant le vœu que la petite entrera au couvent. L'enfant est élevée dans les Flandres mais la guerre l'oblige à suivre son père, déserteur et joueur, en Angleterre puis en France, où elle étudie le grec, le latin et la littérature. À 17 ans, elle obtient son bachot puis publie *Le Jardin des chimères* en 1921 et *Les Dieux ne sont pas morts* en 1922. Ayant le goût des voyages et de l'art, elle sillonne l'Europe et visite de nombreux musées. En

1929, elle livre *Alexis ou le Traité du vain combat* et, après la mort de son père, s'installe en Grèce. Écrire est devenu sa vie. Tour à tour se suivent *Denier du rêve, Feux, Nouvelles orientales* puis *Le Coup de grâce.* Quand éclate la Seconde Guerre mondiale, elle se trouve aux États-Unis où elle demeure afin d'enseigner, dans un collège proche de New York, la littérature comparée. Depuis longtemps, elle nourrit le projet d'écrire sur l'empereur romain Hadrien. *Les Mémoires d'Hadrien*, ouvrage paru en 1951, la font connaître dans le monde entier. Suit *L'Œuvre au noir* couronné par un prix Femina. En 1970, elle entre à l'Académie royale de Belgique mais les honneurs ne s'arrêtent pas là. Marguerite Yourcenar sera, le 6 mars 1980, la première femme à entrer à l'Académie française. Passionnée par les animaux et la défense de la nature, elle continue d'écrire dans sa retraite américaine, parcourt les continents et, à 83 ans, juste avant de s'éteindre, projetait de se rendre en Inde.

CRÉDIT PHOTOGRAPHIQUE

RUE DES ARCHIVES

Pages 8 (haut) ; 8 (bas, droite) : AGIP ; 12 (bas) ; 13 (haut et bas) ; 14 (haut et bas) ; 16 (bas, droite et gauche) ; 18 (haut) ; 20 ; 22 (haut et bas) ; 24 (haut et bas) ; 25 (centre) ; 26 (haut) ; 34 (haut) ; 36 (bas, droite) ; 39 ; 44 (bas) ; 47 ; 48 ; 49 (haut et bas) ; 55 (haut) ; 58 (haut) ; 58 (bas, droite) : VARMA ; 62 (droite) ; 64 ; 66 : AGIP ; 76 ; 88 (bas, droite) : BP ; 90 (haut) ; 91 ; 92 (haut) ; 92 (bas) : APNYC ; 94 (gauche) ; 95 (bas) ; 97 ; 104 (bas) ; 108 (haut et bas, droite) ; 117 (3e col.) ; 118 (4e col.) ; 120 (2e col.) ; 120 (4e col.) ; 121 (4e col.) ; 122 (1re col.) ; 122 (4e col.) ; 123 (2e col.) ; 124 (1re col.) ; 124 (4e col.) ; 125 (haut, centre gauche, centre droit, bas) ; 126 (3e col.) ; 127 (1re col.) ; 127 (3e col.) ; 127 (4e col.) ; 128 (2e col.) : CS/FF ; 128 (3e col.) ; 129 (1re col.) ; 129 (4e col.) : ABC ; 130 (4e col.) ; 131 (bas) ; 132 (1re col. bas) ; 133 (1re col.) ; 133 (4e col.) ; 134 (3e col.) ; 136 (1re col.) ; 136 (2e col.) ; 136 (4e col.) ; 137 (haut, centre et bas) ; 138 (1re col.) ; 139 (4e col.) ; 140 (2e col.) ; 140 (3e col.) ; 141.

RUE DES ARCHIVES/TAL

Pages 71 ; 90 (bas) ; 119 (haut, centre et bas) ; 120 (1re col.) ; 131 (haut) ; 134 (2e col.).

RUE DES ARCHIVES/EVERETT

Pages 94 (droite) ; 102 (haut) ; 117 (3e col.) ; 132 (1re col. haut).

GAMMA

Pages 23 : O. Boitet ; 25 (bas) : D. Simon ; 26 (centre et bas) : D. Simon ; 28 (bas, droite) : A. Atika ; 30 (haut) ; 31 ; 41 : C. Hires ; 42 : E. Girard ; 50 : Pugliano/Liaison ; 52 (bas, droite) : Shipman/Spooner ; 56 : Lawrence/Spooner ; 67 : Boleina ; 68 (haut) : Caloni Bizeul ; 68 (bas) : Pelletier ; 70 (haut) : Bassignac/Mérillon/Simon/Reglain ; 70 (bas, gauche) : A. Buu ; 81 (haut) : G. Bassignac ; 81 (bas) : J.-C. Francolon ; 80 : W. Karel ; 81 : G. Uzan ; 82 : C. Vioujard ; 83 (haut) : G. Bassignac ; 83 (bas) : J.-C. Francolon ; 84 : Brassignac/Mérillon/Steve ; 86 : Simon/Reglain ; 88 (bas, droite) : F. Apesteguy ; 95 (haut) : F. Apesteguy ; 96 : A. Shaw/FSP ; 98 (haut) : Allen/Liaison ; 98 (bas) : Scharpiro/Liaison ; 100 (haut, gauche) ; 100 (bas) : F. Reglain ; 103 ; 104 (haut) : J.-L. Petit ; 105 (haut) ; 105 (bas) : Nightingale/Spooner ; 106 (bas) : A. Le Bot ; 112 (haut) : J.-P. Rey ; 112 (bas) : DR ; 113 : DR ; 113 (haut) : DR ; 116 : Reglain : 117 (2e col.) : J.-M. Loubat ; 118 (1re col.) ; 118 (2e col.) : L. Maous ; 121 (2e col.) : Clériot ; 122 (3e col.) : Depardon/Uzan ; 123 (1re col.) : Godlewski ; 124 (2e col.) : F. Apesteguy ; 126 (1re col.) : Daher ; 126 (2e col.) : Monier ; 127 (2e col.) : Borgman/Liaison ; 129 (2e col.) : Duclos/Gouverneur/Guichard ; 129 (3e col.) : C. Vioujard ; 132 (3e col.) : J.O. Atlanta 96 ; 135 (1re col.) ; 135 (3e col.) : N. Quidu ; 135 (4e col.) : Pool J.O. Barcelone ; 138 (3e col. haut) : D. Simon ; 139 (3e col.) : Gorman/Liaison ; 138 (3e col. bas) : J. Fincher ; 139 (2e col.) : Summa/Liaison ; 130 (3e col.).

FONDATION ALEXANDRA DAVID-NÉEL

Page 123 (3e col.).

ROGER-VIOLLET

Pages 8 (bas, gauche) ; 9, 10 (droite, 61, 72, 73 (bas), 75 : HARLINGUE ; 10 (gauche) ; 16 (haut) ; 17 : LL ; 18 (bas) ; 21 : LAPI ; 28 (haut) ; 30 (bas) ; 36 (bas, gauche) ; 38 ; 44 (haut) ; 45 : E. Roger ; 60 (droite et gauche) ; 62 (gauche) ; 73 (haut) : BRANGER ; 74 ; 88 (haut) ; 93 ; 102 (bas) ; 108 (bas, gauche) ; 110 ; 111.

PIX

Pages 3 : P. Marchand ; 25 (haut) : D. Halliman ; 29 ; 40 : T. Howell ; 52 (haut, droite) ; 58 (bas, gauche) : B. Boorman ; 65.

Marie et Jacques GIMARD

Pages 36 (haut) ; 46 (haut et bas) ; 52 (haut, gauche) ; 54 (bas, droite) ; 59 ; 70 (bas, droite).

DR

Pages 32 (haut) ; 77 ; 106 (haut).

Pages 15 ; 27 ; 35 ; 43 ; 51 ; 57 ; 69 ; 87 ; 99 ; 107 : de haut en bas et de gauche à droite : J. et M. Gimard ; HARLINGUE-VIOLLET ; PIX ; J. et M. Gimard ; Rue des Archives ; Rue des Archives ; PIX ; Rue des Archives ; PIX ; PIX.

Achevé d'imprimer
sur les presses de MAME Imprimeurs à Tours
Dépôt légal : janvier 1999.